Tro *ar* Fyd

Pobl Dwyrain
Ewrop a'r Dwyrain
Canol rhwng Dau
Chwyldro,
1989–2012

Diarmuid Johnson
ac Amanda Reid

y Lolfa

Cyflwynwn y llyfr hwn i'n cyfaill
Ceri Rhys Matthews, cerddor ac athrylith

Argraffiad cyntaf: 2013

Cyhoeddir y gyfrol hon mewn cydweithrediad â Dyddiol Cyf.

Llun y clawr: Hen ddinas Ma-Rib yng nghanolbarth Yemen,
gan Amanda Reid
Cynllun y clawr: Y Lolfa

Rhif Llyfr Rhyngwladol: 978 1 84771 651 4

FSC
Cyhoeddwyd, rhwymwyd ac argraffwyd yng Nghymru gan
Y Lolfa Cyf., Talybont, Ceredigion SY24 5HE
gwefan www.ylolfa.com
e-bost ylolfa@ylolfa.com
ffôn 01970 832 304
ffacs 832 782

CYNNWYS

Rhagymadrodd:
Dwyrain Ewrop a'r Dwyrain Canol rhwng Dau Chwyldro

YN NEGAWDAU CYNTAF yr ugeinfed ganrif, ac yn sgil y Rhyfel Byd Cyntaf, aeth yn fachlud ar ddwy hen ymerodraeth. Ers canrifoedd, bu Awstria a Hwngari ar y naill law a'r Otoman – y Twrc – ar y llall yn dweud y drefn mewn tiriogaethau helaeth ar dri chyfandir: Ewrop, Affrica ac Asia. Ond yn fuan iawn wedi 1918, fe wawriodd oes newydd a daeth grymoedd eraill i lenwi'r gwagle a adawyd gan Fienna ac Istanbwl. Ymhlith y grymoedd hynny roedd Comiwnyddiaeth yn nwyrain Ewrop ac unbenaethau yn y Dwyrain Canol a gogledd Affrica. Ond parhaodd y ddau fyd totalitaraidd hynny lai na chanrif, fodd bynnag, ac yn 1989 a 2011 heriwyd y drefn ar y naill gyfandir a'r llall gan y dorf, gan bawb oedd wedi syrffedu ar anghyfiawnder a gorthrwm a chan bob un yr oedd cael byw yn ddemocrataidd yn freuddwyd iddo.

Annisgwyl oedd chwyldro 1989 yn Ewrop. Yn ystod yr 1980au, dechreuasai Mikhail Gorbachov agor yr Undeb Sofietaidd tua'r byd a galw'r polisi yn *glasnost*. Ond prin y dychmygai neb mai canlyniad llacio'r awenau yr oedd Brezhnev wedi'u hetifeddu oddi wrth Stalin fyddai chwalfa'r bloc Comiwnyddol cyfan. Yng Ngwlad Pwyl y cafodd yr ergyd gyntaf ei tharo. Cynhaliwyd etholiad ar 4 Mehefin 1989, ac am y tro cyntaf er 1947 caniatawyd i wrthblaid gymryd rhan. Solidarność oedd enw'r blaid honno – undeb gweithwyr porthladd Gdańsk – a Lech Wałęsa, gŵr huawdl a chyfrwys, oedd enw arweinydd yr undeb. Yn yr etholiad bythgofiadwy hwnnw, cafodd Solidarność 99 y cant o'r bleidlais, gan danseilio awdurdod y Blaid Gomiwnyddol a'r Cadfridog Wojciech Jaruzelski dros nos. Ym mis Ionawr 1990, datgymalwyd y Blaid Gomiwnyddol. Roedd llywodraeth ddemocrataidd wedi'i hethol yn nwyrain Ewrop bellach, a hynny heb ddim tywallt gwaed.

Mur Berlin oedd nesaf. Bu'r sefyllfa yn y DDR (Gweriniaeth Ddemocrataidd yr Almaen) yn anwadal ers peth amser, gyda mwy a mwy o bobol yn chwilio am ddihangfa o fywyd caeedig y wlad. Ar 9 Tachwedd 1989, mewn cynhadledd i'r wasg ar y teledu, datganodd Günter Schabowski, ar ran y llywodraeth, yn drwsgl braidd, bod hawl gan bobol y dwyrain groesi'r ffin i'r gorllewin, dim ond iddynt ddangos y papurau priodol, a bod y mesur newydd yn cael ei roi ar waith yn y fan a'r lle. O fewn rhai oriau, roedd y boblogaeth yn heidio at y wal. Dryslyd oedd y gorchmynion a gafodd y milwyr oedd yn gwarchod y ffin, ond aethant ati i ddatgloi'r pyrth ac agor y llifddorau. Doedd dim troi'n ôl i fod.

Yn sgil 1989, cafodd y drefn a fu ohoni yn nwyrain Ewrop ers yr Ail Ryfel Byd ei dad-wneud gan y chwyldro. Ysgubwyd Cyfamod Warsaw i'r neilltu, daethpwyd â'r Rhyfel Oer i ben, adunwyd yr Almaen ac aeth yr Undeb Sofietaidd ar chwâl. Pan ddaeth hi'n amlwg na fyddai Byddin Goch Rwsia yn ailfeddiannu'r gwledydd yr oedd y cynnwrf wedi cydio ynddynt, fe gyrhaeddodd y penllanw bob cwr o'r gyfundrefn, gan gynnwys Bwlgaria, Tsiecoslofacia, Hwngari ac Albania.

Annisgwyl oedd chwyldro 2011 hefyd. Yn Tunisia ar 17 Rhagfyr 2010, rhoes Mohamed Bouazizi ei hun ar dân. Bu ei hunanladdiad yn fan cychwyn i chwyldro yn y wlad. Gŵr a adawodd yr ysgol yn ifanc heb ddim cymwysterau oedd Bouazizi. Enillai ei damaid trwy werthu tipyn o bopeth ar y stryd. Ond roedd yn cael ei blagio gan yr awdurdodau o hyd. Pan gipiodd yr heddlu y cert oedd yn fodd iddo grafu bywoliaeth, aeth y cyfan yn drech nag ef.

Cyn pen blwyddyn, roedd bonllefau'r chwyldro wedi ymledu trwy ogledd Affrica a'r Dwyrain Canol fel tân gwyllt. Roedd El Abidine Ben Ali wedi bod yn arlywydd Tunisia ers tair blynedd ar hugain. Ni chafodd y cyfle i gael ei ethol am y pedwerydd tro. Ym Moroco, gorfodwyd y Brenin Mohammed VI i lunio cyfansoddiad newydd er mwyn cadw'i goron. Yn sgil rhyfel byr yn Libya, disodlwyd Mouammar Kadhafi gan ei wrthwynebwyr wedi ymgyrch gan Nato i amddiffyn y boblogaeth. Daeth teyrnasiad Hosni Mubarak i ben yn yr Aifft. Bu rhaid i Ali Abdullah Saleh ffoi o Yemen i Saudi Arabia wedi iddo gael ei anafu yn ystod ymosodiad ar ei balas. Ymledodd y tân i Syria a llosgi'r wlad yn ulw.

Yn Syria, dechreuodd y gwrthsafiad ym mis Mawrth 2011. Cododd y murmur o anfodlonrwydd yn erbyn Bashar al-Assad yn feirniadaeth ddi-flewyn-ar-dafod ac yn fonllefau croch. Ym Moroco, yn Tunisia, yn yr Aifft, yn Libya ac yn Yemen, roedd mudiadau ar waith i ddymchwel y drefn unbenaethol yn y gwledydd Arabaidd. Mae Syria'n wahanol i'r rheini. Mae'n wladwriaeth Sosialaidd, a mawr yw dylanwad Rwsia a Tsieina arni. A chan fod llywodraeth Syria yn arddel yr egwyddorion Marcsaidd fu mor bwysig yn Moscow ac yn Beijing ers amser maith, cefnogi llywodraeth Syria wnaeth Vladimir Putin a Wen Jiabao, er i'r wlad ddamsang ar ei phobol ei hun, ac er gwaethaf dymuniad y Cenhedloedd Unedig i hybu democratiaeth yno.

Ond codi wnaeth y bonllefau, ac ni fu'r un llais yn gryfach na llais Ibrahim Qashoush. Yn 2011, y fe yn anad neb a leisiodd ddicter a rhwystredigaeth y boblogaeth. Ddechrau Gorffennaf, fe safodd ar y llwyfan yn Hama. Roedd y gân yn fyw a'r canwr yn gadarn ei fwriad. Atebodd y dorf bob pennill:

9

Ewch oddi yma, Bashar, dych chi ddim yn un ohonom
Ewch oddi yma, Bashar, fe welwch chi'r drws
Ewch oddi yma, Bashar, mae rhyddid yn cnocian heddiw
Ewch oddi yma, Bashar, chewch chi mo'n dryllio rhagor.

Ar 3 Gorffennaf 2011, cafwyd hyd i gorff Ibrahim Qashoush. Roedd ei wddwg wedi ei dorri, a llinynnau'r llais wedi eu rhwygo allan. Dyna sut y cafodd y gân ei lladd gan blismyn yr arlywydd. Dim ond dechrau dial yr oeddent.

Yn y pen draw, cofio'r enwogion mae hanes. Dienw yw'r werin. Ond mae bywyd bob dydd yn mynd yn ei flaen, chwyldro neu beidio, heddwch neu beidio. Ac i fwyafrif y boblogaeth tu allan i'r gwledydd gorgyfoethog, cael deupen ynghyd yw'r gamp beth bynnag fo'r drefn wleidyddol, gan obeithio y daw haul ar fryn pan fo anffawd yn taro.

Yn y gyfrol hon, awn i fyd rhai o'r bobol hynny. Fe awn i isfydoedd na chlywir fawr o sôn amdanynt fel arfer: byd y cerddor ar heolydd llwm Gwlad Pwyl yn oriau mân y bore; byd y merched yng nghymdeithasau traddodiadol Yemen a Syria. Byd y tyddynnwr gwydn yng nghefn gwlad Rwmania. Awn yno i gwrdd â'r bobol y bydd hanes yn eu hanghofio. Awn yno i weld, i wrando, i holi ac i ddeall mwy am dreftadaeth fregus y ddynoliaeth.

Diarmuid Johnson ac Amanda Reid

RHAN 1

Gwlad Pwyl
gan Diarmuid Johnson

O'r Borth i Poznań

ROEDD Y MÔR yn wyrddlas, dawel ym mhorthladd Dover wrth inni hwylio, a ninnau'n ymadael â Chymru a Phrydain saith mlynedd ar ôl ymgartrefu yno. Daethem draw o Iwerddon yn y flwyddyn 2000 a dyma ni'n awr yn cael troedio'r cyfandir unwaith eto. Cael byw ar y cyfandir helaeth, di-ffin, amlieithog, persawrus lle nad oes dim corwyntoedd yn rhuo na phiglaw tragwyddol yn treiddio i fêr yr esgyrn. Y cyfandir diwylliedig gyda'i ddinasoedd gwych a'i eglwysi cadeiriol, ei winoedd ardderchog a'i hanes cythryblus o oes Charlemagne hyd at greu'r Farchnad Gyffredin a'r Undeb Ewropeaidd. Dyma hwylio felly, a'r awel yn mwytho ein hwynebau, ac Amanda a finnau'n gafael yn eiddgar yn nwylo ein gilydd gan graffu ar y gorwel lle roedd pennod newydd ar fin ymagor yn dudalen lân o'n blaen.

Cyn cychwyn ar y daith, buom yn bwrw'r nos ar dyddyn Blaenglasffrwd yn y mynyddoedd uwchben Ystrad Fflur yng nghanolbarth Ceredigion, rhyw ddwy filltir o blas Pantyfedwen. Roedd y tŷ'n wag, ac nid oedd trydan yno. Dau frawd oedd yn arfer byw yn y lle ers llawer dydd. Byd y ceffyl oedd eu byd nhw, byd difodur, di-sgrîn. Roedd un ohonynt yn ddall ond fe gerfiodd luniau syml o bennau ceffylau ar ddrws y stabl. Mi dynnais fy llaw ar draws y darluniadau gan gau fy llygaid. Cynnu tân yn y tŷ wedyn yn yr hen simne agored siâp cloch. Fe gydiodd y fflamau yn y ffaglau ar unwaith gan fagu cysgodion ar welydd diaddurn y stafell. Gwrando ar y sêr a'r gwlith, a dychmygu lleisiau'r gorffennol yn atseinio trwy'r cwm islaw. A chysgu. Yn y bore, ymolchais yn nyfroedd iasoer y nant. Roedd y gwenoliaid yn dechrau ymgasglu ar doeau'r tai mas. Ar y ffordd i lawr o'r mynydd i Bontrhydfendigaid, roeddem wedi cymryd y camau cyntaf ar y daith i Samarkand, dros bum mil o filltiroedd i ffwrdd.

'Pam dych chi'n mynd?' meddai'r cymydog o'r diwedd wrth inni lwytho'r car.

Gwenu arno wnes i. 'Mae newid yn *change!*'

Fe wenodd yntau'n ôl. 'Dych chi'n mynd ymhell, cofiwch!'

'Pam ydw i'n mynd felly?' meddwn i wrth fy hun y noson honno. Disylwedd braidd yw diwylliant y Gymraeg ers peth amser. Mae eisiau ei ail-greu, ac mi wn i na allaf wneud hynny. Gwell gen i felly fod yn rhan o'r diaspora gan obeithio cyfrannu'n anuniongyrchol wrth weithio tu allan i'r gorlan. Gwell hynny na chwerwi a mynd i fy nghragen. Does dim perygl nawr. Dw i hanner ffordd i Ffrainc.

Mynd, ymadael â Phrydain a Lloegr, ymadael â gwlad y Sais cecrus, blin – ac â'r Sais deallus, pwyllog wrth gwrs. Ymadael â Gwalia hefyd, lle mae'r Cymry yn gwisgo eu sliperi, yn bwydo'r gath ac yn darllen papurau newydd y cawr dros y ffin. Ymadael ag ynys fu'n gartref i ymerodraeth gynt, ynys sydd bellach yn debyg i amgueddfa anferth gyda'i brenhiniaeth, ei hufen iâ ar lan y môr a'i phleidiau gwleidyddol traddodiadol heb na thirfeddianwyr na phroletariat bellach i bleidleisio drostynt. Dychwelyd i'r dyfodol oedd dychwelyd i'r cyfandir, gan ffarwelio â llwch a pharaffernalia y gorffennol annwyl.

'Does dim lot ohonon ni ar ôl.' Dyna oedd geiriau Gareth, fy nghyfaill, cyn inni ffarwelio â'n gilydd. Mynd i'w weld yn ei swyddfa yn Aberystwyth wnes i. 'Saeson sy'n byw yn yr hen dai,' meddai. Roedd sylwadau fel hynny'n britho'r sgwrs: cymuned wedi chwalu, cymdeithas wedi edwino. Faint o wirionedd sydd yn yr ystrydebau hyn? Digon i deimlo'r golled, mae'n debyg. Ond faint gwell ydym o wenwyno – onid y Cymry a werthodd eu tai a'u tir eu hunain?

Mynd â dau gar wnaethon ni. Llond dau gar o lyfrau, offer cegin, dillad, rhai o'r pethau yr oeddem fwyaf hoff ohonynt a rhai pethau angenrheidiol eraill. Fe adawon ni'r gweddill mewn stafell dan glo yn ein cartre yn y Borth, a rhoi'r allweddi i asiantaeth yn y dref er mwyn iddynt gael eu trosglwyddo i'r tenant newydd.

Rhai oriau wedi glanio, fe drawodd anffawd am y tro cyntaf. Ar bwys Louvain, ger y ffin rhwng Gwlad Belg a'r Almaen, dechreuodd un o'r ceir jibo. Roedd sŵn dwfn, afiach yn ei grombil, a'r bys bach yn dangos ei fod yn traflyncu petrol. Wn i ddim a oedd y naill beth yn gysylltiedig â'r llall, ond yn fuan iawn wedyn fe dorrodd y golofn lywio. Dim ond mymryn i'r chwith neu fymryn i'r dde ar y tro yr oedd hi'n bosib newid cyfeiriad y modur. Arafon ni i tuag ugain milltir yr awr. Roedd hi'n nosi hefyd, ac fe allai fod yn berygl bywyd gyrru mor afresymol o araf ar y draffordd. Bob yn herc ac yn hyrddiad, fe groeson ni'r ffin i'r Almaen a thynnu i mewn i faes parcio gwesty dan straen a theimlad.

Y gwir amdani oedd bod gormod o lwyth yn y car. Gwyddwn nad oedd llawer o lyfrau Cymraeg a Gwyddeleg yn y llyfrgell ym mhrifysgol Poznań lle byddwn i'n dysgu, felly dyma ddethol tua chant o gyfrolau a'u rhoi mewn bocsys. Roedd y cerbyd yn gwegian o dan y pwysau, a daeth tranc i'w ran. Dyma ni felly mewn gwesty rywle ger Duisburg, gar yn brin, heb fodd i gludo pentwr o lyfrau, a chwe chan milltir o ffordd o'n blaen eto. Wrth lwc, roedd y trefniadau yswiriant ymlaen llaw wedi bod yn drylwyr. Fe gymerodd beth amser inni ddod o hyd i gwmni llogi ceir fyddai'n fodlon inni fynd ag un o'u cerbydau dros y ffin i Wlad Pwyl, ond gall hanner dwsin o alwadau ffôn a cherdyn credyd ddatrys bron unrhyw broblem dan haul. Ar y trydydd dydd, fe lwyddom ailgychwyn, gan adael y car methedig yn ddigywilydd iawn, ac yn anghyfreithlon mae'n debyg, ym maes parcio'r gwesty.

Cwta bedwar can milltir sydd o Duisburg i Ferlin, a bu'r olwynion yn prysur droi oddi tanom am wyth awr. Ond roedd y daith yn rhwydd o'i thorri'n bedwar cymal. Mae'r Almaen yn wlad fawr, ond gyda threigl yr oriau gyrru, ac wrth i'r un dirwedd ddinodwedd wibio heibio heb amrywiaeth yn y byd, mae dyn yn sylweddoli bod rhannau helaeth ohoni'n anghyfannedd. Aethom heibio i Dortmund, Bielefeld, Hannover a chroesi'r hen ffin i ddwyrain yr Almaen, gan weld cerflun o ddwylo'r gweithwyr ynghlwm yn ei gilydd, ac adfeilion ambell i dŵr gwylio ar ochor yr heol. Cyrraedd rhanbarth Brandenburg o'r diwedd ac ymuno â berw gwyllt y traffig o gwmpas Berlin. Penderfynom fwrw'r nos ar gyrion y briffddinas, a chawsom le tawel heb ddim i'w glywed ond bwhwman hofrennydd fry a siffrwd y dail wrth i awel yr hwyr eu hanwesu.

Trannoeth oedd diwrnod ola'r daith. Roedd naws yr hydref ar yr awyr, a'r gwynt yn feinach nag y bu. Teimlwn dyndra rywle yn y perfedd. Tua chanol dydd, fe groesom y ffin â Gwlad Pwyl a stopio i gyfnewid arian. Bwyta bobi fasnaid o gawl ffa, ac eistedd yng nghanol bois y loris, pob un yn ciniawa ar ei ben ei hunan. Daeth putain i mewn i brynu sigaréts. Tua deugain milltir o'r ffin, roedd gwaith coed yn cael ei werthu ar ochor yr heol: cerfluniau, melinau gwynt, corachod barfog i'r ardd. Yn nes ymlaen, basgedi a phlethwaith gwiail oedd hi. Yn y goedwig dywyll bob ochor i'r ffordd, gwelwn ambell un yn ei blyg a basged ynghrog ar ei benelin: hel madarch mae'n siŵr. Dyma rai'n gwerthu mêl ar fonet y car, a chlwb nos yn dod i'r golwg ac ar ei dalcen lun o ferch siapus oedd yn awgrymu nad dawnsio'n unig a gâi'r cwsmeriaid unnos.

Wrth inni ymbellhau o'r ffin, roedd mwy o raen i'w weld ar y pentrefi ac roedd y gerddi'n dwt ar bwys y tai. Rhwng y pentrefi, ymestynnai'r paith i bob cyfeiriad yn dragwyddol. Ni welsom yr un fuwch. Pasiai'r loris ni un ar ôl y llall yn ddi-dor. Erbyn hyn roedd dinas Poznań o fewn ein cyrraedd, a thraffordd newydd yn arwain iddi am y deugain milltir olaf. Edrychais ar y cloc: mil dau gant o filltiroedd ers ymadael â'r Borth.

Nova Malta yw enw'r ardal lle cawsom le i fyw. Doeddwn i erioed wedi byw mewn lle mor grand o'r blaen. Yn 2007, roedd Poznań yn ddinas eithaf llewyrchus, a Nova Malta rywbeth yn debyg i Fae Caerdydd. Fflat mewn adeilad chwe llawr oedd gyda ni. Roedd sgwâr helaeth o flaen yr adeilad a choed newydd eu plannu yn rhes daclus o'i gwmpas. Yn y pellter, gwelem flociau o fflatiau hŷn, dros ugain llawr ymhob un a golwg ddi-raen arnynt. Dyna wahanol oedd Nova Malta: pob fflat â'i falconi; lifft helaeth; meysydd parcio dan ddaear; siopau bychain pert; siopau *fake tan*; swyddfeydd teithio.

Ar ben yr heol sy'n arwain at y baradwys fach hon mae llyn hirfain, hyfryd. Llyn Malta yw ei enw. Mae coed helyg uchel, gosgeiddig ar y lan agosaf a'u dail yn cyffwrdd â'r ddaear. Ar lannau'r llyn mae brwyn penddu yn tyfu'n rhydd; yr un brwyn sy'n tyfu ar y Figyn – Cors Fochno – yn y Borth. Mae telor yr helyg yn piffian canu yn y naill fel y llall. A dyma sŵn echrydus dwy awyren ryfel yn llanw'r ffurfafen uwchben y ddinas. 'Ai o Aber-porth mae'r rhain wedi dod wir?' meddwn i wrth fy hunan. Aber-porth neu beidio, doedd y sŵn croch yn amharu dim ar y gwenoliaid oedd yn pryfeta'n ysmala uwchben y llyn. Gwelwn ddyn yn dadbacio gwialen bysgota, a chariadon swil yn cerdded ling-di-long o dan y coed yn bwyta hufen iâ. Nofiodd twffyn bach o gwmwl ar draws yr wybren cyn mynd yn ddim.

Tawel oedd y nosweithiau cyntaf yn Poznań. Roedd rhaid inni fwrw ein blinder. Dacw oleuadau'r ddinas yn britho'r nos (doedd dim bleinds na llenni ar y ffenestri). Yn y sgwâr o flaen y tŷ roedd pistyll drud yn tincial canu ac yn berwi'n orfoleddus. Deuai tair ffrwd hael o'i grombil, a sŵn y dŵr fel afon Cledlyn yn brysio heibio i'r tŷ yn Llanwenog ar ei hynt i gwrdd ag afon Teifi. Tebyg ydoedd hefyd i iaith y don yn y Borth ganol nos. Clywed awyren yn hedfan yn isel. Roedd y maes awyr rywle yn y cyffiniau. Dyma sŵn plentyn yn beichio crio lan stâr, rhyw hen sŵn bach pell. 'Gorau i gyd,' meddwn i, 'dyw'r welydd ddim yn rhy denau yn 69 Stryd Katowicka.' Yn y bore, daeth yr haul â newyddion da inni: roedd y fflat yn wynebu tua'r de. Bolaheulo? Roedd digon o le ar y balconi.

Dinas Poznań Liw Dydd a Fin Nos

DOEDD DIM CYFFRO yn llygaid y gynulleidfa, ac roedd canlyniad y gêm yn amlwg. Ffrainc wedi curo Iwerddon eto. Bu tipyn bach o holi hwn a'r llall wedyn.

'We're here on a bit of business,' meddai un o'r Gwyddelod yn y cwmni.

Prynu tir i godi tai oedden nhw. Cawsom gyngor ganddo i gysylltu os oeddem eisiau prynu tŷ.

'You'd be mad not to buy something,' meddai fe.

Fe orffennodd y gêm a ffarwelion ni â'r entrepreneuriaid o'r Ynys Werdd. Nid dyna'r tro olaf y byddem yn cwrdd â'r Padi a hwnnw â'i lygad ar y geiniog.

'Beth am fynd i'r amgueddfa offer cerdd?' meddai Amanda.

Cymysgedd ddiddorol o'r hen fyd a'r oes newydd oedd yr amgueddfa. Lle digroeso, a'r staff surbwch yn gwarchod creiriau'r genedl. Roeddem wedi ceisio mynd i mewn ddeuddydd ynghynt. 'Clos-ed,' oedd yr ateb swta, er bod pum munud ar hugain tan amser cau. Ond dyma ni'n cyrraedd awr a hanner cyn cloi'r drysau heddiw, a chael mynd i mewn am ddim am ei bod yn ddydd Sadwrn.

Hwyrach mai'r casgliad ffidlau ar y trydydd llawr oedd y peth mwyaf trawiadol. Mi wyddwn mai yn yr Eidal y gwnaed y ffidlau modern cyntaf a hynny ar ddiwedd yr unfed ganrif ar bymtheg. Ond roedd ffidl wych o'r un cyfnod mewn casyn gwydr ymhlith y trysorau ar y sgwâr yn Poznań. Enw'r crefftwr oedd Marcin Groblicz. Wrth inni graffu ar y labeli, fe deimlwn lygaid un o'r staff fel taradr yn fy nghefn. Roedd hi bron yn bump o'r gloch. Byddai'r amgueddfa yn 'clos-ed' toc unwaith eto. 'Pum munud eto,' meddwn i. Ac wrth graffu ar y labeli a'r trysorau cain, cerfiedig o'r cyfnod tua 1600 pan oedd Gwlad Pwyl yn bwysicach gwlad na Ffrainc a'r Almaen, a'i thiriogaeth yn cynnwys rhan helaeth o arfordir y Baltig hyd at y ffin â Rwmania, a'i cherddoriaeth yn ddylanwad mawr ar draws y cyfandir, sylwais fod pum cenhedlaeth o deulu Groblicz yn gwneud offer cerdd, a Marcin yn enw bedydd ar bob un, a'u bod yn uchel eu clod yn Kraków cyn iddynt symud eu gweithdy i Warsaw.

A dyma'r staff yn dechrau heidio o'n cwmpas. Bachu ein cotiau wnaethon ni a dianc fel plant wedi dwyn losin. Caewyd y drysau'n glep ar ein holau, fel yr oedd y cloc ar ben tŵr neuadd y ddinas yn taro pump. Uwchben y tŵr roedd dau gudyll yn ymdroelli yn yr awyr, a bagad o frain yn eu herlid.

Mae'r aer yn hynod o sych yn Poznań, ac mi ddeffrais un bore yn boenus o gynnar eisiau glasaid o ddŵr. Gweld golau ymlaen yn y siop fach gyferbyn â ni, a'r ddynes fach yn mynd o gwmpas ei phethau yn fân ac yn fuan. Cyrraedd ar y tram cyntaf yr oedd hi, mae'n debyg, cychwyn cyn pump, a hynny chwe diwrnod yr wythnos.

Bywyd caled sydd gan y bobol sy'n cadw siop fach a gwerthu bara a llaeth a thipyn o bopeth at y cwpwrdd. Mae nifer o'r siopwyr hyn yn datgloi eu drysau am chwech y bore, a gweini'n amyneddgar ar y mân gwsmeriaid sy'n araf dreiglo trwy'r lle yw eu tynged wedyn tan yr hwyr. Fydd rhai ohonynt ddim yn diffodd y golau tan un ar ddeg y nos. Bob yn geiniog, bob yn dorth, bob yn dipyn maen nhw'n cael y deupen ynghyd.

Cyn y wawr y bydd hi dduaf, gwir y gair. Ar ôl gwylio'r ddynes fach yn y siop gyferbyn mi es yn ôl i'r gwely a chysgu fel dyn ar bigau'r drain. Ac fe gododd y bwganod. Yn fy mreuddwyd, roedd fy mhlant yn byw ar ynys fechan yng nghanol yr eigion, a'r dŵr yn codi, codi nes gorchuddio wyneb yr ynys bob modfedd. A dyma fi'n gweld llawer o'r pethau yr oeddwn wedi gorfod eu gadael yng Nghymru wrth symud, bocsaid ar ôl bocsaid, yn llifo heibio yn y ffrwd, y cyfan wedi'i ddifetha gan y dŵr hallt. Rhaid fy mod yn gorwedd yn lletchwith, achos yn y freuddwyd roedd fy llaw chwith yn rwber i gyd ac yn ddiffrwyth a finnau'n ffaelu ysgrifennu dim er fy ngwaethaf. Dihunais yn flin.

'Gwell i fi ymgeleddu tipyn bach ar fy hunan,' meddwn wrth giledrych yn y drych. 'Bydd y tymor yn dechrau maes o law.'

Es at y barbwr. Dim ond un peth y mae dyn ei eisiau wrth groesi trothwy'r siop honno ac, yn fy achos i, doedd dim amheuaeth ei bod hi'n bryd tocio'r shetin. Mas â'r siswrn a'r taclau arferol a bwrw iddi. Ar y diwedd, gwnaed tripheth oedd yn brofiadau newydd i fi: cneifio'r hen flewiach sy'n mynnu tyfu yn fy nghlustiau; torri blew'r ddwyael; a siafio'r manflew sy'n mynychu parthau isa'r ddwyffroen.

'Wel, wel,' meddwn gan fyseddu'r croen llyfn, angylaidd, 'dyna beth oedd gwerth tairpunt!'

Ar ôl cael torri fy ngwallt, aeth y bobol i feddwl fy mod yn Bwyliad. Yn y *café* drannoeth rhoes y ferch ifanc oedd yn gweini fwydlen Bwyleg i fi. Fe ymddiheurodd wedyn pan ddeallodd mai estron oeddwn, a dod â'r fersiwn Saesneg yn syth bin. Ar y ffordd adref wedyn, safon ni yn y farchnad agored ar bwys y tram, a chan fod y fflat yn bur gartrefol erbyn hyn, penderfynu prynu blodau. 'Danke schön,' meddai'r hen ledi gan dybio ein bod yn Almaenwyr. Ai'r gwallt oedd yn gyfrifol am hynny?

Drannoeth roedd hi'n braf eto ac aethom am dro ar lannau'r llyn. Ar y llain o dywod ger y glannau roedd dau lanc ifanc tuag ugain oed yn ymarfer eu campau. Roedd y ddau'n droednoeth ac wedi tynnu eu crysau. Dyma fi'n sefyll i'w gwylio. Y gamp oedd rhedeg, bwrw naid, troi yn yr awyr a'u pennau i lawr a glanio ar eu traed. Roedd eu cyrff ifainc, cyhyrog yn hardd a doedd arnynt ddim cywilydd ymhyfrydu yn yr harddwch hwnnw yn gyhoeddus. Ni chymerai neb arall ddim sylw ohonynt. Peth arferol i'r Pwyliaid oedd gweld bechgyn oedd bron yn Olympaidd yn perffeithio eu campau ar brynhawn dydd Sul, mae'n debyg.

Tua diwedd y prynhawn, wedi inni ddychwelyd i 69 Stryd Katowicka, gwelem y bobol yn ymgasglu ar bwys y pistyll o flaen y fflat. Roedd y gwragedd yn eistedd ar y meinciau a'r plantos yn chwarae ar hyd y sgwâr. O ran y dynion, roeddent yn eistedd ar eu cwrcwd mewn hanner cylch. Dyna'r ail waith i fi weld dynion yn ymlacio fel yna, gan fod rhai o'r gweithwyr yn arfer gwneud yr un peth wrth iddynt gael hoe. Yr un oedd ymarweddiad y tadau ifainc ar bwys y pistyll nawr: cwtsio lawr, penglinio efallai, eistedd ar eu cwrcwd. Gwasgaru wnaeth y cwmni wrth i'r golau ballu ac i'r naws oeri.

Buan iawn y mae dyn yn magu arferion. Cymryd tram rhif 17. Disgyn yn yr un man bob dydd. Mynychu *café* arbennig. Gobeithio cael eistedd wrth ford arbennig. Disgwyl gweld yr un rhai yn gweini. Gwerthfawrogi'r wên fach 'croeso-yn-ôl'. Ond daw'n amser gwadu arferion hefyd, felly dyma fentro cymryd tram rhif 16 a threulio dwyawr yn crwydro'r ddinas. Peth diamcan yw crwydro, ond eto mae iddo nod go bendant. Wrth grwydro, teimlwn galon y ddinas yn curo. Sylweddolais mai 2007 yn Poznań oedd y tro cyntaf i fi ddysgu nabod dinas ers pymtheg mlynedd. Sut beth yw bywyd mewn dinas ar y cyfandir felly, o'i gymharu â bywyd yn y Borth neu yn Llanwenog?

Yn un peth, mae dyn yn cerdded llawer mwy yn y ddinas. Bywyd di-gar oedd gyda fi yn Poznań, a bywyd lled dorfol yw'r bywyd hwnnw. Cerdded yr un palmentydd â'r dorf, disgwyl am yr un tramiau, llygadu'r un posteri. Teimlwn fy hun yn nes at weddill y gymdeithas nag yng ngorllewin Cymru.

Wrth gerdded, mi glywais y clychau. Roedd eu clywed yn gysur, a hynny'n annisgwyl. Yn Iwerddon a finnau'n grwt, roedd diasbedain clychau eglwys y plwyf yr un mor hanfodol â sŵn y don neu sgrech y wylan neu ditrwm-tatrwm y glaw. Llais o'r gorffennol ydyn nhw i fi, llais o'r crud.

Sylwais ar rywbeth arall. Yn Aberystwyth ac yn Llundain, yn Galway ac ym Mharis, ymhob man lle bo arian a gwaith ac addewid o well byd, mae pob tras yn cyd-fyw erbyn hyn gan greu caleidosgop diwylliannol ac ieithyddol. Ond rywsut, yr un yw'r darlun waeth pa wlad yr ewch iddi bellach: diwylliant unffurf, safonol sydd ar waith a hynny heb ddim llawer o wreiddiau nac o wreiddioldeb. A dyna un peth sy'n wahanol yn Poznań ac yng Ngwlad Pwyl yn gyffredinol: un iaith yn unig a glywir, ac un dras yn unig a welir. Math arall o unffurfiaeth yw hynny, mae'n debyg.

Mae'r gweithgareddau nos yn dechrau'n gynnar yn Poznań. Saith o'r gloch amdani. Fe gyrhaeddom yn hwyr, a sleifio i mewn i'r awditoriwm drwy'r drws cefn ac eistedd yn brennaidd wrth y wal rhag ofn i neb weld cysgod lleidr. Pedwarawd llinynnol oedd ar y llwyfan. Roedd y neuadd yn un odidog. Gweddol fach o faint oedd hi, gyda tuag ugain rhes o seddi, ac ychydig yn is na'r gynulleidfa roedd llwyfan hardd, plaen wedi'i gwneud ag ystyllod pren tywyll. Uwch ein pennau roedd balconi siâp pedol, ac uwchben hwnnw nenfwd digon isel oedd yn trafod y sain yn berffaith. Lliw gwyn oedd i'r balconi siâp pedol. O amgylch y welydd wedyn roedd paneli pren yn llawn tyllau mân er mwyn i'r miwsig beidio ag atseinio o gwmpas y stafell.

Haydn yr oedd y pedwarawd yn ei chwarae. Sylwais fod y gynulleidfa'n ifanc, pob un yn gwrando'n astud. Ers yr Ail Ryfel Byd, a chyn hynny, mae'n wir fod y Pwyliaid yn debyg i'r hyn ydoedd y Gwyddelod yn ail hanner y bedwaredd ganrif ar bymtheg: crwydriaid, alltudion, ffoaduriaid economaidd,

Catholigion, cenedl ar wasgar. Ond yn y neuadd ysblennydd hon yn Poznań, roedd yn amlwg bod ochor ddiwylliannol iawn yn perthyn i'r genedl a'i hanes, ystrydebau neu beidio. Gwahanol iawn oedd y noson ganlynol ar y sgwâr. Roedd y lle dan ei sang. Rhaid bod Poznań wedi curo Warsaw ar y cae pêl-droed, achos roedd y dorf ryfeddaf wedi ymgynnull o flaen y Maerdy, a'u llafarganu gorffwyll yn gwneud i'r palmentydd grynu. Ar gyrion y sgwâr roedd faniau'r heddlu yn araf agosáu, ac ambell i blismon parod ei bastwn yn dod i'r fei. Ym mhob cornel o'r sgwâr, roedd dwmp-dwmp-dwmp miwsig nos Sadwrn yn llifo allan o'r clybiau gorlawn yn y seleri myglyd dan ddaear, ac yn safn pob ogof safai heidiau o ferchetach blysiog yr olwg, a bechgyn penfoel, praff wrth eu hochrau. Mi fentrais i mewn i un o'r cnawdfeydd hyn, ond buan iawn yr aeth y sŵn a'r mwg a'r trachwant noeth yn drech na fi.

Tua chanol mis Hydref aethom i noson agoriadol tymor y gaeaf yn y Neuadd Gerdd. Cawsom weld haenen arall eto o'r gymdeithas y noson honno. Neuadd go draddodiadol oedd y Neuadd Gerdd. Efallai fod y cyntedd anferth, y canwyllbrenni rhwysgfawr, y pileri cadarn a'r goleuadau gor-lachar yn Sofietaidd eu naws yn yr ystyr eu bod yn gwneud i'r unigolyn deimlo'n fach ac yn bitw a'r drefn hithau yn bwysicach na'r werin. Gwisgai gwerin Poznań eu dillad dydd Sul i wrando ar geinciau'r meistri heno. Dynion llond eu croen yn gwisgo siwtiau cyfweliad-angladd-cyngerdd. Y merched wedyn yn ferchetaidd ddigon, ifanc neu beidio, a chlustdlysau ambell un tua'r un faint â soseri. Roedd y gwaith trin gwallt yn amlwg.

Erbyn holi, mi ges wybod mai lle i sefyll yn unig oedd ar ôl, felly rhaid oedd bodloni ar hynny, a phrynu tocynnau am ddwy bunt yr un. Ymunon ni â'r garfan fwyaf heini oedd yn anelu at yr oriel uchaf, a chael lle wrth ein bodd ar y fainc yn y to. Dechreuodd y gerddorfa fynd trwy eu pethau, a hynny'n lled drwsgl ambell waith, ond roedd yn amlwg eu bod yn mwynhau, fel finnau. Gwelwn liaws o seddi gwag oddi tanaf; roedd rhai wedi cadw tocynnau corfforaethol mae'n debyg. Gallasai'r sefydliad fod wedi gwerthu tocynnau gwerth degpunt i fi felly. 'Czaikowski' oedd y gerddorfa yn chwarae. Sylweddolais o'r diwedd mai Tchaikovsky yw hynny i fi.

Melyn a du yw lliwiau'r hydref yn Poznań. Nid oes gwynt. Rhwng y fflat a'r tram roedd tamaid o goedwig yn tyfu'n naturiol ar dir comin. Bûm yn cerdded yno lawer gwaith a synhwyro naws y wlad yn ymyl berw'r ddinas. Roedd teulu'r frân yn nythu yn y crawcgoed yna. Ac wrth iddi nosi, roedd y brain yn perfformio pantomeim uwchben y coed a'r traffig: codi'n uchel uwchben melynfyd hwyr yr hydref a phlymio fel bwled nes cyrraedd y llwyfan, plymio'n ddiwahardd a'u hesgyll yn eu plyg, plymio'n feddw cyn sobri ar yr eiliad olaf rhag cael eu trywanu gan flaenau'r bedw melyn. Nosi wnâi hi wedyn.

Erbyn mis Tachwedd roedd y tymor cerddorfâu a dramâu wedi dechrau, y tymor ffilmiau, tymor cwrw sinsir poeth, tymor siocled sgald fel triagl o dew a thwmpath o hufen ar ei ben. Tymor y brith-olau tragwyddol wrth i'r flwyddyn ddirwyn i ben, a'r haul yn suddo'n is nes diflannu tu ôl i'r swyddfa bost. Tymor moddion rhag annwyd, a thymor yr opera.

Nid La Scala na Covent Garden yw opera Poznań, wrth gwrs, ond eto nid oes mo'i thebyg yn Galway lle y'm magwyd, nac yn Aberystwyth chwaith. Ac opera go iawn sydd yn Poznań, nid opera genedlaethol ond opera ranbarthol uchel ei safon. Mae'r neuadd yn ysblennydd. Saif gyferbyn â gerddi blodeuog, ac er mwyn cyrraedd y pyrth rhaid esgyn stâr lydan, glasurol ei diwyg. Yn y talwrn o flaen y llwyfan bydd y gerddorfa fechan yn pyncio'n lleddf ac yn llon bob yn ail, gan gyfeilio i gynyrchiadau drud a moethus.

Dyma Aida a'i thad yn gaeth yn yr Aifft yn aros i angau eu cipio. Ac yn wir, wele geffyl go iawn yn ymddangos ar y llwyfan. Yr oedd yr opera yn brofiad ieithyddol diddorol hefyd. Canu mewn Eidaleg yr oedd yr actorion, ac uwchben y llwyfan roedd 'uwchdeitlau' electronig yn ymddangos bob yn frawddeg. Pwyleg oedd yr uwchdeitlau. Ar y ffordd adref, fe gawsom gawod fach o eira. Fe ddawnsiai'r plu ar fysedd yr awel a thoddi wrth gyffwrdd â'r palmant. Roedd y gaeaf yn dod.

Wrth edrych ar y calendr y noson honno, sylweddolais fod deufis wedi mynd heibio ers inni gyrraedd dwyrain Ewrop. Roedd Cymru a'i phobol yn mynd yn debyg i ffilm heb sain yn y cof erbyn hyn, neu i hen lun ar y silff ben tân. Un byd yn araf ymbellhau, a'r llall yn mynnu'i le yn y rhes flaen fwyfwy bob dydd.

Y Dosbarth Cymraeg

CAFODD YR ADRAN ieithoedd Celtaidd ym mhrifysgol Poznań ei sefydlu tua 2004. Dyna pryd y dechreuwyd cynnig gwersi Cymraeg a Gwyddeleg yn y brifysgol. Erbyn y flwyddyn 2007, roedd y weinyddiaeth wedi paratoi rhaglen B.A., a dyna'r flwyddyn y ces innau wahoddiad i ymuno â'r fenter. Er mawr syndod i fi, fe'm penodwyd yn Athro, a hynny ar sail fy mhrofiad, mae'n debyg.

Ar 3 Hydref 2007 y cynhaliwyd y dosbarth Cymraeg cyntaf. Dyma fi yn sefyll o flaen dosbarth am y tro cyntaf ers chwe mlynedd, pan oeddwn yn dysgu Gwyddeleg yn Adran y Gymraeg, Aberystwyth. Roedd yn foddhad meddwl bod môr o flwyddyn academaidd o'n blaen i'r myfyrwyr gael dysgu a datblygu. Un ar hugain o enwau oedd ar restr y disgyblion, ac fe ddaeth pawb namyn un i'r wers.

Y dewis oedd bwrw ati i gyflwyno rhyw agwedd ar ramadeg neu ar hanes yr iaith neu geisio ffordd i dynnu'r dosbarth o'u cragen er mwyn iddynt gael ymlacio a dechrau dod i adnabod ei gilydd, oherwydd roedd disgyblion o bob cwr o'r wlad yn eu plith. Tybed pa bethau yr oeddent yn eu cysylltu â Chymru? Mi ofynnais i bob un ysgrifennu tri gair ar ddarn o bapur. A dyma nhw:

> green, castles, sheep, Anthony Hopkins, winding roads, heavy industry, sea, corgi, Prince Charles, Celts, daffodils, coalmines, Super Furry Animals, minority language, Stereophonics, Dylan Thomas, Great Britain.

Wedi casglu'r atebion a'u didoli, bu tipyn bach o drafod ar y geiriau. Ac ar ôl hynny, mi benderfynais eu cyfieithu i'r Gymraeg. Ar ddiwedd y prynhawn, ar y grisiau yn yr adeilad mawr, Sofietaidd lle roedd y gwersi'n cael eu cynnal, dyma rai o'r dosbarth yn fy nghyfarch dan wenu a dweud yn huawdl iawn: 'diwydiant trwm', 'heolydd igam-ogam' a 'dafad wen'. Aeth pawb adref yn fodlon iawn.

Eistedd yn y swyddfa yr oeddwn i pan ganodd y ffôn drannoeth.

'Johnson,' meddwn i yn ôl y protocol.

'Llysgenhadaeth Iwerddon sydd yma, Professor Johnson. Mae TG4 eisiau siarad â chi.'

'Popeth yn iawn.'

Bu distawrwydd am ennyd, ac wedyn mi glywais lais cyfarwydd:

'Diarmuid, Ailbhe Ó Monacháin sy 'ma. Dw i eisiau dy gyfweld ynglŷn â'r radd newydd.'

'Mae gen i ddosbarth am bedwar. Dere draw i'r brif fynedfa am chwarter i.'

Roedd golwg wedi blino ar Ailbhe a'r dyn camera Pwylaidd pan gyrhaeddon nhw. Roedden nhw wedi bod yn gyrru trwy Wlad Pwyl benbaladr yn gwneud cyfres o adroddiadau. Y rheswm am hynny oedd y ffaith i Wlad Pwyl ymuno â gwledydd Schengen yn 2007. Roedd y ffin rhwng y dwyrain a'r gorllewin ar agor felly. Roedd yr holl sylw yn yr wythnos gyntaf yn syndod mawr i'r myfyrwyr, ond rywsut roedd y cynnwrf yn help i'r grŵp ymffurfio ac ymlacio.

Am y tair blynedd nesaf, buom yn cwrdd tua dwywaith yr wythnos, a rhyw chwe mis cyn yr arholiad graddio penderfynais eu bod yn medru digon o Gymraeg i bob un ysgrifennu pwt am bwnc penodol. Y nod wedyn oedd recordio'r testunau a'u rhoi at ei gilydd ar ffurf rhaglen radio hanner awr. Dysgais dipyn am Wlad Pwyl oddi wrth waith y myfyrwyr.

Dyma sôn am fwyd traddodiadol y Pwyliaid, er enghraifft:

Mae bwyd traddodiadol yng Ngwlad Pwyl yn cynnwys traddodiadau coginio Slafig ac Almaenig. Mae dylanwad traddodiadau'r Eidal, Rwsia a Thwrci arno hefyd. Mae bwyd Pwylaidd yn llawn cig, nwdls, bresych a thatws. Mae e braidd yn fras, ond mae'n flasus iawn. Ymysg y prydau bwyd mwyaf nodweddiadol mae *pierogi* (sef twmplenni gyda *sauerkraut* a madarch neu *cottage cheese* a mwyar), *bigos* (sef stiw cig a *sauerkraut*), *gołąbki* (dail bresych yn llawn cig wedi'i falu a reis) a *gołonka* (cig moch wedi'i stiwio).

Cawsom wybod hefyd am ddylanwad yr hen Geltiaid ar y rhanbarth cyn i'r Slafiaid ddod i fri. Mae nifer o safleoedd archeolegol Celtaidd yng Ngwlad Pwyl, yn y rhannau deheuol gan fwyaf. Ond bu darganfyddiadau rai blynyddoedd yn ôl yn ardal Kalisz yng ngorllewin y wlad. Mae'r olion yn cynnwys arian bath, ffwrneisi priddlestri, darnau o briddlestri a rhai claddedigaethau. Daeth y Celtiaid i Wlad Pwyl yn y bedwaredd ganrif Cyn Crist, yn ôl pob tebyg, trwy'r tiroedd sy'n perthyn i'r Weriniaeth Tsiec heddiw. Ymledon nhw i ardal Kraków yn y drydedd ganrif Cyn Crist, cymysgu â llwythau eraill a diflannu erbyn y ganrif gyntaf Oed Crist.

Roedd un o'r disgyblion yn y dosbarth yn dod o Słupsk, tref yng ngogledd Gwlad Pwyl. Mae'r dref yn agos i'r Môr Baltig. Can mil o bobol sy'n byw yno. Roedd bywyd yn arfer bod yn ddiffwdan yn Słupsk mae'n debyg, ond fe benderfynodd Unol Daleithiau America osod system amddiffyn yn erbyn rocedi'r gelyn yno. Cafodd hen faes awyr segur yn Słupsk ei ddewis yn safle i'r system. Dim ond tair milltir o ganol y ddinas mae'r safle, ac mae sawl un yn ofni y bydd Rwsia neu Iran yn ymosod ar y dref.

Mae'n anodd dirnad i ba raddau y cafodd cenedl y Pwyliaid ei gwasgaru gan ymgyrchoedd yr Ail Ryfel Byd. Mae'n debyg bod y wlad wedi dioddef mwy nag unrhyw wlad arall. Gwlad

Pwyl oedd maes y gad, ac roedd ei phobol yn ddiymadferth yn erbyn y gorchfygwyr. Ond nid peth mud mewn llyfr yw hanes. Mae pob teulu'n ei gofio. Dyma hanes hen fam-gu un o'r merched yn y dosbarth yn ei geiriau ei hun:

Cafodd fy mam-gu, Eleanore, ei geni yn Chicago yn 1915. Yno y cafodd ei magu. Roedd ei thad yn wladgarwr brwd, ac roedd e eisiau dychwelyd i Wlad Pwyl o America. Symudodd gyda'r teulu yn ôl i Gniezno yn ardal Poznań, a phrynu tŷ mawr yno. Pan oedd Eleanore yn un deg chwech oed, fe gwrddodd â'i dyweddi. Barnwr oedd ef. Pan ddaeth y rhyfel, bu rhaid i'r pâr ifanc ffoi rhag y Natsïaid. Diwedd y gân oedd iddynt gael eu dal gan y Rwsiaid a'u hanfon i Siberia. Fe gymerodd y daith mewn cerbyd gwartheg fis cyfan. Yn 1943, gadawodd ei gŵr Siberia. Aeth e i'r rhyfel, a chafodd ei ladd. Yn 1945, cafodd Eleanore gyfle i ddod yn ôl i Wlad Pwyl. Yn 2010, roedd hi'n byw yn Gniezno, yn yr un hen dŷ mawr a brynwyd gan ei thad ers llawer dydd.

Wrth i fi ffarwelio â Poznań, mi ges anrheg werthfawr gan wyres Eleanore, sef llyfr bach o waith ei mam-gu yn yr iaith Bwyleg lle mae'n disgrifio trallod a dioddefaint ei blynyddoedd yn Siberia. Mae'r adroddiad yn un diduedd ac urddasol. Dro ar ôl tro yn Poznań, mi ddysgais fod y Pwyliaid yn genedl wydn, hirymarhous fu'n brwydro am eu heinioes genhedlaeth ar ôl cenhedlaeth. Pan ddarllenaf lyfr Eleanore, teimlaf fod fy llaw ar galon Gwlad Pwyl. 'Jeszcze Polska nie zginęła' meddai'r gân genedlaethol: 'Gwlad Pwyl nis trechwyd eto.'

Fe recordiodd y dosbarth eu sgriptiau, gan ychwanegu darnau byr o gerddoriaeth, golygu'r cyfan ar ffurf rhaglen radio, cyhoeddi'r gwaith ar y we a llosgi copi i'r Gweinidog Treftadaeth ar y pryd, sef Alun Ffred Jones. Anfonwyd y CD i Fae Caerdydd. O fewn y mis, fe ddaeth ateb ac arno lofnod y Gweinidog. 'Mae'n wych o beth bod yna siaradwyr Cymraeg yng Ngwlad Pwyl,' meddai. Cafodd y myfyrwyr gopi o'r llythyr i'w ddangos i'w rhieni.

Nid dyna fu'r unig adwaith i'r prosiect. Anfonais nodyn at y stafell newyddion yn Radio Cymru. Er mawr syndod i fi, mi ges ateb a chais gan y stafell newyddion am yr hawl i ddefnyddio peth o'r cynnwys ar y donfedd. Mi argraffais y llythyr a mynd ag ef i'r dosbarth heb nac esboniad na chyfieithiad, a'i roi i'r myfyrwyr. Ymhen rhyw hanner munud, dechreuodd y codi aeliau a'r ciledrych ar ei gilydd, pob un yn meddwl eu bod wedi camddeall. Ond nid camddeall yr oedden nhw. Mi drefnais wedyn i'r BBC alw'r dosbarth yn fyw, ond lle prysur iawn yw stafell newyddion ac mae pethau'n newid ar amrantiad, ac nid ailgysylltwyd â ni. Eto i gyd, roedd y ddau lythyr a dderbyniwyd yn ddwy bluen hardd yn het pob un o'r dysgwyr.

Cysgod Totalitariaeth yn y Brifysgol

MI ES I Wlad Pwyl i weld pa fath o wlad mae'r Pwyliaid yn ymadael â hi, ac i geisio deall pam maen nhw'n ymadael â hi. Gwahanol iawn fyddai mynd dim ond ar wahoddiad, yn dwrist, yn ymwelydd, yn ohebydd neu'n llysgennad. Gall pob un o'r rheini anwybyddu'r hyn sy'n ddiflas ganddynt, troi eu cefn ar yr hyn sy'n wrthun iddynt, synnu at yr hyn sy'n peri syndod iddynt a chilio oddi wrth yr hyn sy'n codi braw arnynt. Ond mae byw a bod yn y wlad, a gweithio yno, a gorfod cydfyw a chydweithio â'r bobol, yn mynd â dyn i lygad y ffynnon ac i'r isfyd anweledig lle mae pob diwylliant yn ymffurfio a lle mae amheuon a chysgodion yn llechu, yn ogystal â balchder a gobaith. Ac yn y fan honno yng Ngwlad Pwyl, daw dyn wyneb yn wyneb â chysgod totalitariaeth...

Yn 2008, bûm yn Cove Park, Argyll, yr Alban ar weithdy barddoniaeth gyda thri bardd o'r Alban a dau fardd arall o Iwerddon. Ymhlith yr Albanwyr roedd dyn o ynys Skye, Seòras, ac wedi i fi ddychwelyd i Poznań i ailafael yn fy ngwaith dysgu yn yr adran Geltaidd yno, mi awgrymais iddo y gallai ymweld â'r ddinas. Byddai ymweliad bardd adnabyddus a siaradwr Gaeleg brodorol yn hwb i'r myfyrwyr ac yn gyfle i Seòras a finnau gyfnewid syniadau.

Ar y pryd roedd Seòras yn awdur preswyl mewn coleg Gaeleg ar ynys Skye, felly roeddwn yn tybio y gellid ystyried y daith yn rhan o gynllun cydweithio rhwng dwy adran neu ddau goleg. Ond er gwaethaf rhinweddau lu'r coleg, nid oeddwn wedi rhagweld y ffaith mai llecyn llawn cenfigen a diffyg eangfrydiaeth oedd o leiaf un o'r swyddfeydd cyfagos i fi ym

Mhrifysgol Adam Mickiewicz, Poznań. Buan iawn y daeth y
gwaddod a'r mwydod i'r wyneb gan droi'r maes yn lle perygl
i ddyn ei droedio heb ysigo pigwrn, llithro, bwrw ei ben yn
erbyn pwt bach miniog o garreg neu syrthio i lawr simnai'r
lifft...

Mi es ati i drefnu noson ddiwylliannol yn y dull Prydeinig,
lle mae pwyslais wedi bod yn y colegau ar hyd y degawdau
ar yr elfen gyhoeddus neu gymdeithasol sy'n rhan o fywyd
y myfyrwyr. Dyma greu poster bach pwrpasol, gwneud rhyw
ddwsin o gopïau a gwahodd cnewyllyn o bobol gan gynnwys
ambell i aelod o'r staff yr oeddwn wedi cwrdd â nhw. Roedd
swyddfa gan y Cyngor Prydeinig yng nghanol y ddinas ar bwys y
coleg, felly dyma fanteisio ar y safle arbennig. Roedd ymweliad
Seòras a'r noson farddoniaeth yn eithaf llwyddiannus. Nid oes
disgwyl i gannoedd o bobol adael clydwch eu cartrefi wedi iddi
nosi ganol Tachwedd i glywed cerddi'n cael eu hadrodd mewn
iaith estron. Ond roedd awyrgylch cyfeillgar ymhlith y sawl a
ddaeth i'r fei, a chafwyd swper a chlonc wedi'r digwyddiad.

Sylwais fod un o'r myfyrwyr doethuriaeth yn yr Adran
Saesneg heb ddod, er gwaetha'r ffaith iddo sôn yn benodol
wrthyf y byddai'n gwneud ei orau glas i'n cefnogi. Pam na
ddaeth Marcin i'r noson farddoniaeth? Mae'r rheswm yn un
syfrdanol. Roedd ei bennaeth adran, a chyfarwyddwraig ei
draethawd efallai, wedi ysgrifennu ato i'w wahardd rhag
ymuno â'r cwmni. Gwahardd dinesydd rhag mynychu
digwyddiad cyhoeddus yn ei wlad ei hun. Gwahardd myfyriwr
– uwchraddedig – rhag cwrdd â bardd dierth allai roi syniadau
newydd yn ei ben. Priodol iawn yw dyfynnu brawddeg a
ysgrifennwyd yn 1951 gan Geraint Dyfnallt Owen yn ei
gyfrol *Rwmania* wrth iddo ddisgrifio'r Blaid Gomiwnyddol yn
llygru'r system addysg uwch yn y wlad honno:

> Trwy gyfrwng rheolau'r Undeb, a chyda chymorth ysbïwyr y
> Llywodraeth, gofelir nad oes dim un myfyriwr yn cael ymarfer

â'r rhyddid barn a meddwl sy'n rhan hanfodol o awyrgylch pob Prifysgol yn y Gorllewin.

Gweld y peth yn drueni, gweld y peth yn hurt yr oeddwn i ar y dechrau. Ond bob yn dipyn daeth arwyddocâd ymyrraeth athro prifysgol ym mywydau allanol y staff a'r myfyrwyr yn fwyfwy amlwg i fi. Fe ddechreuodd cwestiwn gorddi: beth ddylid ei wneud – neu, yn wir, beth y gellid ei wneud? Yn fuan wedyn fe ddechreuodd cwestiwn arall ffrwtian: ai ergyd wedi'i hanelu ataf i hefyd oedd yr ymyrraeth a'r gwaharddiad hwn?

Mi es, yn y man, i weld aelod o fwrdd rheoli'r gyfadran Saesneg. Dyn pwyllog, rhesymol oedd y brawd hwn, ac fe ddiolchodd i fi am ddod â'r mater i'w sylw. Fe gytunodd â fi bod gwahardd un o ddinasyddion y wlad rhag mynychu digwyddiad cyhoeddus yn groes i gyfansoddiad y wlad, erthyglau 31 a 54 er enghraifft, ac awgrymu y gellid rhoi'r mater ar agenda gwaith bwrdd y gyfadran, ond fe'm rhybuddiwyd y gallai'r athrawes dan sylw sefyll ei thir ac mai ofer wedyn fyddai ceisio ei disodli, er na fanylodd rhyw lawer am yr union resymau am hynny.

Ond roedd yn llygad ei le. Y tawelwch llethol o'm cwmpas wnaeth fy argyhoeddi o hynny. Roedd rhai pobol wedi stopio siarad â fi. Roedd y carfanau yn cael eu ffurfio, a sylweddolais mai lleiafrif oedd o'm plaid, a'r lleiafrif yn cynnwys sawl un o wledydd Prydain ar ben hynny. Rhaid nodi bod yr athrawes arbennig hon yn briod â dyn pwysig iawn yn hanes y brifysgol. Petai'r myfyriwr a waharddwyd wedi protestio a dwyn cwyn gerbron y coleg, fe fyddai'n fater arall, ond roedd Marcin wedi penderfynu mai callaf a dawo neu, chwedl y Pwyliaid, *milczenie jest złotem* – mae mudandod yn aur. A chyn pen chwe mis, roedd y myfyriwr disglair hwn wedi rhoi'r gorau i'w swydd ymchwil fel darpar ddoethur, cefnu ar gyfle i ddilyn gyrfa academaidd a gadael ei draethawd ar ei hanner.

Ni wyddai Seòras ddim oll am y cyffro mawr, nac am y gwrthwynebiad a fu i'w ymweliad. Pan adroddais yr hanes wrtho, edrychodd arnaf yn syn, fel petai'n teimlo iddo gamddeall rhywbeth. Dyma ddyn oedd wedi sefyll ar y bont newydd i ynys Skye i brotestio yn erbyn y tâl oedd yn cael ei godi ar bobol leol am ei chroesi. Ond 'Pam?' oedd ei unig gwestiwn i fi pan gawsom gyfle i drafod yr antur.

'Pam?' meddwn i. 'Ofn.'

'Ofn beth?' meddai.

'Ofn cael eu disodli gan ti a fi,' meddwn.

A dyna'r gwir amdani. Roedd safon y dysgu yn isel yn rhai o'r isadrannau, a gwyddai'r penaethiaid bod eu gwybodaeth yn ddisylwedd. Rheoli'n llawdrwm ac ystrywgar oedd eu ffordd o ddelio â'u diffygion eu hunain. A dyna alegori o ryw fath am Wlad Pwyl at ei gilydd: 'Sut mae codi safonau? Sut mae datblygu? Sut mae ymagor tua'r byd?' A dyna fi wedi dysgu'r rheswm pam mae hedfan i Lundain neu i Ddulyn yn ddewis y mae rhai Pwyliaid yn ei wneud.

Dirprwyaeth Gudd o Tunisia

Ar y trên rhwng Berlin a Poznań yr oeddwn i. Gwaith dwy awr a deugain munud yw hi ar y lein gyflym. Ers agor y ffin rhwng Gwlad Pwyl a'r Almaen yn 2007 o dan gytundeb Schengen, roedd teithio rhwng y ddwy wlad wedi ei hwyluso'n fawr.

Ond nid yw teithio ar drên yng Ngwlad Pwyl yn fêl i gyd bob amser. A siarad yn blaen, mae'r ddarpariaeth trenau a'r gwasanaeth sydd ar gael ar gyfer y boblogaeth at ei gilydd yn annigonol ac yn sigledig iawn. Clywir straeon lu am drenau sydd oriau ar ei hôl hi, neu'n dod i stop yng nghanol y goedwig neu'r paith ac yn gori fel hen iâr heb nac esboniad nac esgus ar ran y cwmni rheilffyrdd. Mae eisiau buddsoddiad mawr. Yn y bôn, system all ddygymod â 25 miliwn o bobol yw'r rhwydwaith rheilffyrdd, er bod tua 37 miliwn yn byw yn y wlad. Ond heddiw, roeddwn i ar y brif lein rhwng dwy o brif ddinasoedd Ewrop, felly roedd gobaith mawr i fi gyrraedd yn brydlon.

Ar lawer iawn o'r trenau yn y dwyrain, nid dwy res o seddi a rhodfa yn y canol sydd, ond cynllun hŷn, sef cytiau ar y naill ochor gyda lle i chwech neu wyth o bobol eistedd gyferbyn â'i gilydd, a rhodfa wrth y ffenestri, gyda phared gwydr a drws rhwng y rhodfa a'r cytiau. Ystyriaethau cynhesu oedd wrth wraidd y cynllun hwn yn wreiddiol – mae'n arfer bod dipyn yn gynhesach yn y cwt nag ar hyd y rhodfa.

Roedd tri neu bedwar o bobol yn yr un cwt â fi. Yn eu plith roedd dyn bach o gorff, pryd tywyll, a menyw dawel, ddeallus yr olwg, dim ond ei bod hi ychydig bach yn brennaidd rywsut.

Arabeg oedd y pâr yn siarad â'i gilydd. Nid bob amser dw i'n
cyfarch pobol ar y trên. Ar daith hir, mae yna berygl iddynt
dynnu lluniau o briodas y mab neu'r ferch mas o'u pwrs, neu
draethu ar hoff fwydydd y gath, neu fynd i ganmol George W.
Bush. Gall rwdlan diamcan fynd yn dân ar groen dyn. Ond
taith gymharol fer oedd o'n blaen i Poznań.

Yn iaith Charles de Gaulle a Baudelaire y mentrais godi
sgwrs. Gwyddwn mai Ffrangeg fyddai ail iaith fy nghyd-
deithwyr.

'Bonjour.'

Bu cyfnewid cwestiynau ac atebion am bum munud fach i
brofi'r dyfroedd. A phan welais y dyn bach pryd tywyll yn estyn
ei goesau o'i flaen a phlethu ei ddwylo ar ei fol, gwyddwn fod
trafodaeth ychydig yn helaethach yn yr arfaeth.

'O Tunisia dyn ni'n dod,' meddai fe yn bwyllog. 'Dw i'n
bennaeth ar yr adran ymchwil i faterion amgylcheddol yn
llywodraeth y wlad. Dyn ni'n dod i Ewrop yn aml. Heddiw
dyn ni'n mynd i Poznań i'r gynhadledd.'

Gwyddwn yn iawn pa gynhadledd oedd mewn golwg gyda
fe. Yr union gynhadledd honno oedd y rheswm pam yr oeddwn
innau ar y trên hefyd. Roedd dirprwyaethau o bedwar ban byd
wedi ymgynnull ar lannau afon Warta i drafod yr hinsawdd.
A chan fod gwestai a lletty yn brin yn Poznań, penderfynodd
Cyngor y Ddinas wahodd y brifysgol i gynnig neuaddau
preswyl y myfyrwyr i'r cynadleddwyr, cau'r coleg a naw wfft
i'r gwersi a'r darlithoedd am wythnos. Mi es dros y ffin i Ferlin
am dro.

Pe byddwn wedi cwrdd â'r bobol fonheddig hyn ar y ffordd
i Munich, Genefa neu Milan, neu unrhyw le ar y cledrau yn
y gorllewin, ni fyddwn wedi fy synnu o gwbl. Ond roedd
ymddiddan rhwng Gwyddel a phâr o ogledd Affrica tu hwnt
i Ferlin yn rhywbeth amheuthun. Ac roedd y Tunisiaid wrth
eu bodd yn cael cwmni rhywun oedd yn byw yng Ngwlad

Pwyl a fedrai siarad eu hiaith ac esbonio tipyn ar helyntion y dwyrain iddynt. Roedd Gwlad Pwyl yn fwy dierth iddynt nag yw Tunisia i'r Cymro.

'Dywedodd rhywun wrthon ni y bydd hi'n ugain gradd dan y rhewbwynt,' meddai'r dyn.

'Sgerslî bilîf,' meddwn i yn fy Ffrangeg gorau.

Ar y bont yn Frankfurt am Oder y rhannom y profiad cyntaf wnaeth selio rhyw fath o gyd-ddealltwriaeth rhyngom. Wedi croesi afon Oder a chyrraedd Gwlad Pwyl, safodd y trên ger y lan. Ble roeddem ni? Doeddwn i ddim yn nabod y stesion yma. Aeth peth amser heibio. Trodd y sgwrs at yr oedi.

'Beth sy'n digwydd?' meddai'r dyn.

Anwybyddu'r cwestiwn wnes innau.

'Vous avez une chambre d'hôtel à Poznań?' meddwn i. 'Oes gwesty gyda chi yn Poznań?'

'Non, pourquoi?'

Esboniais y gallai fynd yn hwyr arnom yn cyrraedd pen y daith a bod prinder gwestai yn Poznań.

'Fe ffeindiwn ni rywle, dw i'n siŵr,' meddai'r cyfaill a golwg digon ples arno. Roedd yn dechrau mwynhau'r antur.

Roedd y ddynes wrth ei ochr yn ddifynegiant, er nad oedd yn anniddig chwaith. Efallai nad oedd ganddi afael cadarn ar y Ffrangeg. Erbyn hyn roedd y trên wedi ailgroesi'r bont yn ôl i'r Almaen ac yn cychwyn unwaith eto i'r cyfeiriad iawn. Suddais ychydig yn ddyfnach i'm sedd a chymryd anadl hir.

Fe gyrhaeddon ni Poznań ddwy awr yn hwyr. Yn y cyfamser roeddwn wedi sôn wrth ddirprwyaeth Tunisia bod croeso iddynt aros gyda fi pe na byddai stafell ar gael mewn gwesty. Ar ôl cyrraedd, aeth y dyn pryd tywyll ar ei ben at y cownter llety yr oedd trefnwyr y gynhadledd wedi'i agor yn yr orsaf. Arhosodd y ddynes dawel gyda fi.

'Il fait froid,' meddai hi, gan wenu'n dwt i ddangos nad cwyno yr oedd hi.

Fe ddychwelodd ei chydymaith atom mewn fawr o dro. Siglo ei ben yr oedd e, a'i wefusau wedi'u gwasgu'n dynn wrth ei gilydd fel dyn ar fin chwythu balŵn.

'Il n'y a rien,' meddai, 'dim yw dim.'

'Venez, s'il vous plaît,' meddwn i, 'cawn ni dacsi.'

'D'accord.'

'Cewch chi weld,' meddwn i, 'mae lle da gyda fi i chi. Dyw'r to ddim yn gollwng.'

Crechwenu wnaeth y dyn ac edrych arnaf ychydig yn ddiymadferth. Fe gododd y ddynes dawel ei phac.

Arhosodd y ddirprwyaeth gudd o Tunisia gyda fi am ddwy noson. Pam nad oedden nhw wedi cael stafell westy ymlaen llaw? Achos nad oedden nhw eisiau rhoi eu henwau ar unrhyw restr. Doedden nhw ddim yn briod, a Moslemiaid parchus oedden nhw yn swyddogol. Roedd gwely mawr a gwely bach yn fy stafell i fel mae'n digwydd, felly rhyngddyn nhw a'u pethau. Roedd Amanda yn Iwerddon ar y pryd, ac ar lawr yn y lolfa y cysgais i. Y drefn am y deuddydd nesaf oedd iddynt fynd yn gynnar a dychwelyd wedi swper. Sgwrsio wedyn am awr neu ddwy cyn ei throi i'r cae sgwâr. Wrth ffarwelio â fi'r ail fore fe adawon nhw 100 ewro ar fwrdd y gegin. A ffwrdd â nhw.

Chwe mis wedi hynny, roeddwn i ar fy nhrafels unwaith eto. Roedd fy ail flwyddyn yn Poznań wedi dod i ben. Cymru oedd pen y daith nawr, ar ôl ymweld â'r Almaen ar y ffordd. Dim ond hyn a hyn o brif orsafoedd rhyngwladol sydd ar y cyfandir, ac yn yr Almaen y rhai pwysicaf yw Berlin a Chwlen, sef Köln. Mi groesais y wlad ar wib yn yr ICE – Intercity Express – mewn pedair awr. Maes awyr Düsseldorf oedd y cam nesaf, ac yng Nghwlen mi es i edrych ar yr amserlen fawr yn y brif fynedfa i gael gwybod ar ba blatfform y byddai fy nhrên yn cychwyn.

Mae miloedd o bobol yn baglu dros ei gilydd yng ngorsaf Cwlen bob awr o'r dydd, a'r trenau'n cychwyn oddi yno i

Baris, i Frwsel a Llundain, i'r Swistir, i Awstria ac i wledydd y Llychlyn. Ond yn y cyntedd o flaen yr amserlen, dim ond rhyw hanner cant sy'n arfer sefyll ar y tro cyn symud ymlaen ymhen munud neu ddwy. A dyma fi'n gweld y ddirprwyaeth gudd o Tunisia o fewn tair llathen i fi, a'u sylw wedi ei hoelio ar fanylion y trenau uwch eu pennau. Edrych eilwaith. Y nhw oedd yna. A dyma dri llais yn un yn ebychu gyda'i gilydd:

'C'est pas possible!'

Nid dyna oedd diwedd y gân. Roeddem yn aros am yr un trên, felly i ffwrdd â'r gyd-ddirprwyaeth i gyfeiriad Düsseldorf. Eisteddon ni gyda'n gilydd yn hel atgofion am ddyddiau fu yng Ngwlad Pwyl, ac yn canmol rhwydwaith trenau'r cyfandir.

'Jamais deux sans trois' yw'r ymadrodd yn iaith Charles de Gaulle a Baudelaire. 'Tri chynnig i Gymro' yw hi yn Gymraeg. Wn i ddim a welaf y dyn bach pryd tywyll, pennaeth adran ymchwil yn Llywodraeth Tunisia, a'r ddynes gwrtais sydd yn arfer bod wrth ei sodlau eto. Yr eildro, fe ysgrifennon nhw eu henwau ar bwt o bapur, ynghyd â chyfeiriad e-bost. Ond methais â chael hyd i unrhyw wybodaeth amdanynt ar y we. Nid atebodd neb fy e-bost chwaith. Bu chwyldro yn Tunisia yn y cyfamser. Os cwrddaf â nhw, Duw a ŵyr pryd na lle, mi gaf beth o'r hanes, mae'n debyg.

Disco Paradiso

GYRRU I'R MAN ymarfer yn un o'r maestrefi oedd dechrau fy mhrofiad gyda'r band. Yn ystod wythnos olaf mis Hydref, daethai gŵr tal at ddrws y swyddfa. Geiriadurwr ydoedd wrth ei waith yn y coleg, a gitarydd mewn band roc gwerin Celtaidd. Roedd gig gyda nhw ddiwedd y mis ac roedd angen unawdydd arnynt oherwydd bod un o'r band i ffwrdd ym Merlin.

'Nos fory mae'r ymarfer,' meddai Jacek.

Dyma drefnu cwrdd felly, a mynd i isfyd y sîn gerddorol.

Eistedd yng nghefn y car yr oeddwn i bellach, ar y ffordd i ryw ganolfan ar gyrion Poznań. Mynd i mewn i gyntedd yr adeilad llwm, diaddurn, concrit a gwydr, a lawr y stâr i'r seleri lle roedd stafell bwrpasol. Edrychais o fy nghwmpas. Roedd offer sain ymhob man. Ar y welydd gwelwn hen bosteri *avant-garde* pryfoclyd wedi ffado. Roedd bocsys wyau gwag ar hyd y nenfwd er mwyn mogu tipyn bach ar y sain, a'r pibau gwresogi mawr yn amlwg o dan y to uchel. Dim ffenest. A dyma ddechrau ymarfer. Caneuon ac alawon go adnabyddus o Iwerddon a'r Alban yr oeddem ni'n eu chwarae, a ches i ddim trafferth ymuno â nhw. Mater arall fyddai sefyll ar y llwyfan ymhen yr wythnos a gwneud y gwaith ar fyr rybudd.

Yn ystod y tair blynedd nesaf bûm ar y llwyfan gant a thair o weithiau gyda fy nghymdeithion newydd. Clybiau, tafarndai, tai bwyta, gwyliau pentref, achlysuron corfforaethol a phriodasau. Gyda'i gilydd, aeth y cyd-chwarae a'r cyd-drafaelu â fi ar hyd tuag ugain mil o filltiroedd ar heolydd y wlad, y gogledd-orllewin ran fwyaf, ond Silesia hefyd, a

Warsaw a'r canolbarth ambell waith. Lleddir dysenni o bobol ar ffyrdd Gwlad Pwyl bob wythnos, ond chawsom ni erioed yr un ddamwain. Dyma hanes un noson anarferol.

'Croeso i Disco Paradiso,' meddai un o'r porthorion deunaw stôn oedd wedi bod yn cicio eu sodlau a thecstio eu cariadon wrth ddisgwyl amdanom. Fe deimlais lwmp yn fy llwnc. Aeth y naws trwof fel cyllell oer, a dyma fi'n deall nad yn nhref Tuszyn yng Ngwlad Pwyl yr oeddwn ond rywle yn Antarctica...

Buasai'r daith o Warsaw wedi gig lwyddiannus y noson cynt yn gofiadwy. Yn aml iawn, gyrru gyda'r nos yr oeddem, heb weld dim o'r wlad. Heddiw, roeddem wedi trafaelu liw dydd gan ddilyn heol ddihafal o'r brifddinas i Warka, cartre'r cwrw enwog, ac oddi yno i Białobrzegi, sef Glannau Gwyn, a dilyn y moelydd crwn a'r pantiau bas hyd at Tomaszów Maz cyn anelu at Łódź. Ar hyd y daith gwelem berllannau di-ben-draw, miloedd ar filoedd o erwau yn goed afalau taclus, pert. Roedd y canghennau'n llwm a di-ddail wedi'r gaeaf, ond byddai gyrru ar hyd yr heol ym mis Mai a'r coed yn eu blodau yn gan milltir o daith lesmeiriol. Ar hyn o bryd, fodd bynnag, dyma fel yr oedd hi: roeddem wedi parcio ar bwys ysgubor fawr wag ar groesffordd unig ac anghyfannedd, a'r caeau india-corn agored yn ymledu'n farwaidd i bob cyfeiriad.

Hen heol dyllog, anwastad oedd hi wedi bod am y milltiroedd olaf. Wrth agosáu at y nod, roedd cymylau duon ar fin taflu sachaid arall o eira ar ein pennau. Pan ddaeth yr adeilad i'r golwg – storws o le hirsgwar, unllawr – fy ymateb cyntaf oedd meddwl 'Pam mae crancod a choed palmwydd a thraeth melyn a môr-forynion wedi'u paentio ar dalcen yr hen le salw yna?' Dyna pryd y gwelsom yr arwydd a'r fynedfa.

Sefais yn nhwll y drws. A hithau'n ganol mis Mawrth,

roedd hi'n amlwg na fu'r lle ar agor ers yr hydref cynt. Tynnais fy nghot yn dynnach amdanaf, ac i mewn â fi. Mae'r diafol yn y gasgen gwrw, medden nhw. Roedd y diafol wedi hen ddianc o'r siop yma. Safai casgenni gwag hwnt ac acw, rhai ar eu hyd ar lawr. Roedd y ceblau trydan yn hongian yn rhydd uwch y bar, a rhyw frith olau gwan yn esgus goleuo'r lle. Atseiniai sŵn diferu a phibau'n gollwng o gyfeiriad y toiledau.

'Proszę bardzo, dewch i mewn,' meddai un o'r bechgyn cydnerth yn fonheddig iawn, gan foesymgrymu y mymryn lleiaf i ddangos ei gydymdeimlad.

Diddorol iawn oedd y *decor* yn Disco Paradiso. Merched nwyfus, gwefusdew wedi'u paentio ar hyd y welydd, a'r bronnau afresymol o fawr yn debycach i beli rygbi nag i degwch naturiol ein chwiorydd. Y lle i gyd yn lliwiau llachar, paradwysaidd, melyn a choch.

'Lle ddiawl gaf i baned o goffi?' meddwn i wrth fy hunan, a'r darluniadau blysiog heb gael unrhyw effaith ar fy nghnawd druan. Mynd i ymbalfalu nawr tu ôl i'r bar yn y stafell gefn – hawl neu beidio – gan obeithio dod o hyd naill ai i degell neu i focs cymorth cyntaf rhag ofn i'r oerfel fy nhrechu. Roedd gweddill y band yn dadlwytho'r fan ac yn dechrau gosod y drymiau ar y llwyfan siâp bae-yn-y-Caribî.

Dechreuodd y ffidlwr adrodd peth o'i hanes a'i helyntion wrthyf.

'Peth od,' meddai fe, 'mai ar Ddydd Mercher y Lludw yr aeth y fflat sy 'da fi yn Berlin ar dân.'

Edrychais i arno.

'Biti na fyddai tân fan hyn hefyd. Dyw'r lle ddim yn ffit i ffycin pengwin.'

Daeth perchennog paradwys atom wedyn, a'r *entourage* rhyfeddaf wrth ei sodlau. Gyntaf i gyd, ei wraig. Y *toyboy* oedd gyda honno wedyn. Rhyw ferch chwe throedfedd o daldra allai ennill Miss World, rhagor o'r osgordd breifat oedd gyda fe i'w warchod a chi bach yn gwisgo siaced wlân. Roedd bol fel tas wair gyda pherchennog paradwys – arwydd o'i lwyddiant er gwaethaf pawb a phopeth. Sgidiau dal adar oedd am ei draed, a siwmper yn debyg i'r hyn y byddai Tiger Woods yn ei wisgo yn St Andrews.

'Dyma'r Gwyddel,' meddai rheolwr y grŵp wrth y das wair gan fy nghyflwyno i'r cyfaill yn ddiseremoni. 'Mae'n siarad Pwyleg hefyd.'

'Tipyn bach,' meddwn i, '… lle neis sy gyda chi yma.'

Wrth iddi ddod yn nes at yr awr dyngedfennol pan oedd dechrau chwarae i fod, fe ddeuai'n amlycach bob munud na fyddai nemor dim o gynulleidfa gyda ni. Er gwaetha'r hysbysebion rheolaidd ar y radio ers tridiau, rhyw hen noson flin a dibleser oedd hi'n mynd i fod yn ôl y rhagolygon. Erbyn hyn roedd yr offer sain yn barod, a'r llwyfan yn gartref i hanner dwsin o feicroffons, ac roedd y bois i gyd yn eistedd yn y stafell wisgo o amgylch yr unig wresogydd oedd yn gweithio o fewn deng milltir i'r lle.

'Y tocynnau sy'n rhy ddrud,' meddai Marek.

'Dyw'r lle ddim wedi cael ei agor ers misoedd,' meddai Tomek.

'Pan oeddwn i'n gweithio yn Llundain ers llawer dydd,' meddai Jacek, 'dysgu Saesneg o'n i ar y pryd…'

Daeth cnoc ar y drws, a dyma wyneb taten foel un o'r porthorion yn ymddangos.

'Deg munud,' meddai.

Wrth inni fynd lan ar y llwyfan, roedd y perchennog wrth y bar a rhyw ddeg o'r *entourage* o'i amgylch. Ar wahân i'r cnewyllyn hwnnw, roedd tua hanner dwsin o bobol – llond dau gar – wedi mentro yr holl ffordd o Łódź i glywed y miwsig Celtaidd yma (wedi cael tocynnau am ddim gan y radio yr oedd y rheini, yn ôl pob tebyg). Roedd y gwres wedi codi o dair gradd dan y rhewbwynt i tua pum gradd. Roedd goleuadau amryliw, llachar y Disco Paradiso yn troi ac yn fflachio ac yn sboncian trwy'r lle a rhyw fymryn o egni yn cynhyrfu'r gwaed wrth i'r rhew mawr encilio ar ôl oes yr iâ. Dechrau chwarae wedyn, cynulleidfa, rhew ac awydd neu beidio.

Buan iawn y dechreuodd y perchennog ddawnsio a chodi'i draed bach a chwifio'i freichiau yn ysmala. Roedd cawell yng nghanol y llawr lle roedd y merched mwyaf beiddgar yn arfer mynd trwy'u pethau ar nosweithiau mwll o haf, yn chwys ac yn chwant caru i gyd. Dringo i'r cawell wnaeth perchennog paradwys a rhoi cynnig ar ryw dango gan bwmpo ei freichiau yn yr awyr fel petasai'n godro jiráff. 'Druan â'i fam,' meddwn i. A'r *entourage* yn gweiddi arno a churo dwylo a'i ganmol am ei gampau.

Bûm ar y llwyfan gant o weithiau gyda'r grŵp yng Ngwlad Pwyl, a hyd at gant o weithiau yn Ffrainc, yr Almaen, Cymru ac Iwerddon gyda grwpiau eraill. Ac mi ges fy nhalu bob tro ac eithrio unwaith. A heno oedd honno. Aros am y newyddion drwg yn y stafell wisgo yr oeddem. Byddai rhaid pacio'r offer, ail-lwytho'r fan a thrafaelu yn ôl i Poznań wedyn. Daeth rheolwr y band yn ôl ymhen deng munud a chroen ei din am ei dalcen.

'Mae'n fodlon trefnu taith inni. Mae pymtheg o Ddisco Paradisos gyda fe yn y wlad. Ond dyw e ddim yn fodlon ein talu heno.'

Fe ddywedodd y ffidlwr ddau beth y noson honno wnaeth godi fy nghalon.

'Roedd y sain yn ardderchog heno,' meddai fe.

A gwir y gair. Roedd y lle'n dawel, a'r acwsteg cystal â neuadd gerdd. Dim ond i ddyn gau ei lygaid fel na welai'r graffiti ar y welydd, fe allai feddwl ei fod mewn eglwys gadeiriol. Chwerthin wnes i wrth glywed yr ail ddatganiad. Dyfynnu hen gân *blues* oedd e, dw i'n credu:

'This is hell, brother. We've been to hell, together.'

Ar y draffordd o Łódź i Poznań yr aethom ni adref y noson honno – talu'r doll ac osgoi'r heolydd bach. Dawnsio yn y cawell y mae perchennog paradwys byth ers hynny, siŵr o fod.

Prynu Piano yn Poznań

Toc wedi i Wlad Pwyl ymuno â'r Undeb Ewropeaidd yn 2004, fe ddaeth Allied Irish Banks yn brif gyfranddaliwr banc WBK Gwlad Pwyl. Syniad y Gwyddelod, yn syml iawn, oedd cynyddu eu cyfalaf gan brynu banc pwysig oedd eisiau ei foderneiddio mewn gwlad oedd â photensial masnachol mawr. Fe ailwerthodd y Gwyddelod eu siâr o'r banc yn 2010, ond am chwe neu saith mlynedd roedd cnewyllyn o fancwyr Gwyddelig yn byw yng Ngwlad Pwyl er mwyn diwygio a rhedeg adrannau arbennig o WBK. Gweithiai rhai ohonynt yn Poznań, gan gynnwys Eamonn Clogherty o swydd Mayo, gorllewin Iwerddon. Un o deulu cerddorol oedd Eamonn: bu ei dad yn ffidlwr adnabyddus yn ei ddydd, ac roedd Eamonn, fel fi, yn canu'r ffliwt.

Roedd cysylltiad diddorol arall rhwng Eamonn a finnau sef y ffaith i'r ddau ohonom gael ein geni ym Mhrydain a symud yn ôl i Iwerddon ym more oes. Yng Nghaerdydd y ces i fy ngeni, ac yn Birmingham y gwelodd Eamonn olau dydd gyntaf erioed. Blynyddoedd llwm, dilewyrch oedd yr 1950au a'r 1960au yn Iwerddon, ac alltudio fu hanes nifer fawr o drigolion y wlad. I ddinasoedd canolbarth Lloegr yr aeth pobol Mayo, gan ymgynnull ynddynt yn gymunedau clòs, a chan arfer eu diwylliant a'u defodau eu hunain yng ngwlad y Sais.

Yn Wyddel tlawd, yn ddyddynnwr dinod, yn wladwr ac yn gerddor balch yr aeth tad Eamonn i Birmingham yn yr 1950au felly. Ac yn bennaeth adran gyllid banc mawr rhyngwladol yr aeth y mab i Wlad Pwyl gyda gwawr y mileniwm newydd. Nid dyna'r unig dro ar fyd, ac nid dyna'r unig wahaniaeth rhyngof fi ac Eamonn chwaith. Mab i ddarlithydd oeddwn i, a Mam wedi cael coleg hefyd, ac mi ges fy magu ar aelwyd gymharol gyffyrddus, gan fod cyflog darlithydd yn Iwerddon yn yr 1970au yn ddigon derbyniol. Crafu pob ceiniog fyddai hanes ffarmwr bach Gwyddelig wrth iddo fwrw ei alltudiaeth yn Lloegr ers llawer dydd. Ond erbyn i fi gwrdd ag Eamonn, roeddwn i'n ennill llai o lawer mewn mis nag yr oedd e'n ei ennill mewn wythnos, a llai mewn wythnos nag yr oedd e'n ei ennill mewn diwrnod, ac yn wir llai mewn diwrnod nag yr oedd e'n ei ennill mewn awr. Ond eto fyth, 'hysbys y dengys y dyn o ba radd y bo'i wreiddyn', ac felly y bu y diwrnod yr aethom ill dau i brynu piano.

Fel mae'n digwydd, roedd gwraig Eamonn ar fin cael ei phen blwydd yn ddeugain oed. Wedi pedair blynedd dramor, roedd hi'n dechrau hiraethu am ei chartref yn Nulyn. Dim ond blwyddyn arall oedd ar ôl nes byddent yn dychwelyd i Iwerddon, ond mae blwyddyn yn amser maith pan fo'r galon yn brudd.

'Gofyn i fois y band lle allwn i brynu piano, wnei di?' meddai Eamonn wrthyf.

Nid piano oedd gyda ni yn y band, yn anffodus, ond offer trydan. Ond addewais y byddwn yn gwneud fy ngorau. Ymhen yr wythnos, roeddem wedi trefnu mynd i siop ar gyrion y ddinas. Fy swydd i fyddai cyfieithu, orau y gallwn, o'r Bwyleg i'r Saesneg ac o'r Saesneg i'r Bwyleg.

Siop fach blaen gyda storws bach tu cefn iddi oedd y siop bianos yn Dolna Wilda, Poznań. Roedd y perchennog yn disgwyl amdanom. Dyn hirfain a thamaid o farf gafr o dan ei ên, a'i wisg yn awgrymu ei fod yn artist yn hytrach nag yn fasnachwr, a'i lygaid mwyn, deallus yn awgrymu ei fod yn fwy o hen law ar drin tannau a myrthylau piano na thrin a thrafod prisiau ac arian. Roedd tua dwsin o bianos parod yn y storws, a rhai ar ganol eu trwsio yn y siop. Fe aethom trwodd.

47

Ymhen rhyw chwarter awr, roedd hi wedi mynd yn ddewis rhwng dau biano, a phris y ddau rywbeth yn debyg, tua £800 yn arian Prydain. Gwnaed y dewis terfynol ar sail prydferthwch ac ymarweddiad y piano, ac ar sail ei liw, oherwydd byddai pren gwyn, ar wahân i'r ffaith ei fod yn anarferol, yn cyd-fynd yn dda â gweddill y dodrefn yn fflat Eamonn a'i wraig.

'Pan płaci gotówką?' meddai'r Pwylwr.

'Cash?' meddwn i wrth Eamonn.

'Ah well now, if it's cash there'll have to be a discount,' meddai fe.

Fe gamodd at y drws, ac ar y ffrâm tynnodd linell ddychmygol â'i fys tua'r un uchder â'i lygaid.

'Dyma'r pris gwreiddiol,' meddai, a chan dynnu llinell arall tua'r un uchder â'i ysgwyddau, 'a dyma'r pris go iawn.'

Edrychodd y gwerthwr arnaf ag ymholiad yn ei lygaid.

'Cyfieithu dw i, dim negodi,' meddwn i.

Roedd manylion y drafodaeth yn dechrau mynd tu hwnt i'm huodledd i yn yr iaith Bwyleg bellach, ac roedd arna i ormod o gywilydd i ddweud llawer mwy beth bynnag. Byddai'r gostyngiad yr oedd Eamonn yn daer amdano yn llyncu elw'r Pwyliad druan am o leiaf wythnos gron mae'n debyg. Ac mi feddyliais am y Gwyddelod alltud yn cyrraedd porthladdoedd Prydain yn yr 1950au yn y niwl digroeso, cês yn eu llaw a chysgod cyni yn eu gyrru at ddrws y ffatri a'r safle adeiladu. Dw i ddim yn cofio beth fu pris y piano yn sgil y bargeinio, ond fe brynodd Eamonn yr offeryn gwyn, ac erbyn hyn mae wedi hen gyrraedd Iwerddon, fel gweddill eiddo Allied Irish Banks a'i staff.

Mynd i Briodas

MAE ZBIGNIEW YN dechnegydd sain. Gweithio'n llawrydd y mae, a darparu gwasanaeth dros y penwythnos i fandiau lleol. Mae hynny'n fodd iddo ychwanegu at y cyflog y mae'n ei ennill yn ystod yr wythnos yn stiwdio recordio'r brifysgol. Aros am Zbigniew yn y maes parcio o flaen y brifysgol yr oeddwn i nawr, gan fod y band yn chwarae mewn priodas y penwythnos yma. Edrychais ar fy wats. Pum munud i naw. Byddai'r dyn yn cyrraedd toc.

Doeddwn i ddim wedi cwrdd â Zbigniew o'r blaen. 'Car glas.' Dyna'r unig gyfarwyddyd yr oeddwn wedi'i gael ganddo. 'Byddi di'n nabod e wrth ei farf fach bwch gafr,' roedd rheolwr y grŵp wedi dweud. Dyma gar glas nawr. Nage, dim hwnna yw e. Toc cyn hanner awr wedi naw, dyma gar glas yn dod a barf fach bwch gafr dan enau'r gyrrwr. Mi godais fy llaw.

'Amanda[1]?' meddai. 'Sori bo fi'n hwyr. Dewch 'te, awn ni nawr.'

Fe gymerodd hanner awr inni gyrraedd y draffordd i gyfeiriad Łódź.

'Now we drive fast,' meddai'r cyfaill.

Roedd yn well ganddo siarad Pwyleg, ond roedd y Saesneg yn fagl i'r ddau ohonom bwyso arni petai angen.

'Two hours we drive,' meddai fe, gan ychwanegu yn ei famiaith, 'dwie godziny.'

Roedd Zbigniew wedi blino. Roedd e wedi treulio'r nos mewn stiwdio breifat ar ôl ei waith arferol. Doedd e ddim wedi

---

1 Amanda a ysgrifennodd y bennod arbennig hon, ond Diarmuid yw awdur gweddill y penodau am Wlad Pwyl. Yr un band sydd dan sylw.

cysgu chwinciad, meddai. Gwelw iawn oedd ei bryd, a'i lygaid fel dwy gneuen fach ar blât. Mi benderfynais mai siarad fyddai orau, rhag ofn i'r blinder ei drechu wrth iddo yrru. A rhywsut, cwsg neu beidio, mae dyn yn mwstro yn naturiol wrth fod y bore yn mynd yn ei flaen.

'I live, you know, a small flat, not near centre.'

Mewn fflatiau mae 80 y cant o'r Pwyliaid yn byw. Ar yr unfed llawr ar hugain y trigai Zbigniew, ei wraig a'u merch Anna, mewn cartref hanner can metr sgwâr.

'Fyddwch chi yng Ngwlad Pwyl yn ystod yr haf?' meddai Zbigniew.

'Gobeithio mynd i Iwerddon,' meddwn i.

Mi gofiais wedyn fod coeden fach gyda fi yn Poznań. 'Efallai gallech chi edrych ar ôl y goeden fach sydd gyda fi.'

'Gwnaf, â chroeso,' meddai.

'Efallai fod lle ar y balconi gyda chi,' meddwn i gan feddwl efallai ei bod hi'n dynn arnynt o ran lle tu fewn i'r fflat.

Bu tawelwch. Doedd dim balconi gyda Zbigniew ar yr unfed llawr ar hugain.

Fe gymerodd hi ddwy awr a hanner inni gyrraedd pen y daith. Dyma weld pyrth hen blasty, a lôn droellog yn arwain at y tŷ, a gerddi moethus bob ochor i'r lôn fach. Roedd gweddill y grŵp yn disgwyl amdanom. Go dawel oedden nhw i gyd. Roedden nhw wedi bod ar yr heol ers y noson cynt ac roedd diffyg cwsg a gwres canol dydd wedi bwrw rhyw syrthni drostynt am y tro.

Fe ddechreuodd Zbigniew dynnu'r offer sain o fŵt y car. Doedd dim sôn am de na choffi na brechdan eto. Wrth lwc, roeddwn i wedi dod â pheth bwyd fy hunan. Roedd hi'n ddiwrnod bendigedig o wanwyn hwyr, a'r gerddi'n ymestyn yn braf o flaen y tŷ gosgeiddig. Mi benderfynais fynd am dro a gadael i'r grŵp dorchi llewys a pharatoi eu pethau. Des o hyd i lechen fach yn ymyl y llyn hwyaid, a gorffwys yno ar wastad fy nghefn. Gwelwn fysedd yr haul yn mwytho'r dail uwch fy mhen. Roedd gwas y neidr yn hofran uwchben y dŵr, a'r adar mân yn canu nerth eu calonnau. Rywle yn y wig gyfagos, clywn gnocell y coed yn drymio ar geubren. Cysgais am awr.

Erbyn i fi ddychwelyd at y band roedden nhw'n gwneud yr ymarfer sain. Roedden nhw'n ddywedwst iawn o hyd, ac yn dal ar eu cythlwng. Doedd hynny ddim yn eu poeni nhw chwaith: roedd gwledd briodasol o'u blaen tan berfeddion nos. Am chwech o'r gloch, cyrhaeddodd y pâr priod a'r parti priodas yn llawn asbri a hwyl. Roedd blodau drud wedi'u gosod ym mhob cwr o'r neuadd yn dorchau mawr bendigedig, a thros ugain potel o wisgi ar y bordydd ar gyfer y gwesteion lu oedd yn prysur ymgynnull. Pan oedd pawb yn barod, dyma'r briodferch a'r priodfab yn ymddangos ar ben y stafell. Ac fe ddechreuodd y dathlu.

Roedd wisgi a diodydd cadarn eraill ar ford y cerddorion hefyd. A nhwythau ar hanner y glasiad cyntaf, daeth y galw am y band i chwarae'r set gyntaf. Parodd y miwsig tua hanner awr. Eisteddodd pawb i lawr wedyn eto, gan gynnwys y cerddorion, oedd â lle arbennig iawn ar y teras yn yr awyr iach, a thipyn bach o awel dyner yn codi wrth i wres y dydd ildio i ffresni'r hwyr. Roedd persawr blodau'r gwyddfid a'r rhosynnau yn ymledu ar yr awel a golau'r sêr cyntaf yn dechrau britho'r awyr ddulas. O'r diwedd roedd hi'n amser swper. Roedd pawb yn clemio. Cawl oedd gyntaf. Llowciodd y bechgyn bobi fowlaid heb ddweud gair o'u pennau. Aros eto nawr, mygyn a sgwrs. Fe ddaeth yn bryd ar gyfer yr ail set cyn bo hir.

Saig a chwarae bob yn ail oedd hi wedyn am oriau bwygilydd. Roedd y bwyd yn cael ei weini ar blatiau helaeth, a'r arlwy'n haelionus iawn. Cafwyd pysgod a ffowlyn, llysiau wedi'u berwi, cacennau, mochyn wedi'i rostio, rhagor o fwydydd melys, cawl winwns, wisgi, fodca, gwin a choffi bob yn ail, bob yn saig, bob yn fordaid, a'r miwsig yn pylsio trwy'r nos, y parti'n cynhesu, yn ymlacio, yn cynhyrfu a dawnsio'n wyllt, y to ifanc yn cusanu ac yn cofleidio yn y drysau ac yn y cyntedd, blinder yn eu trechu wedyn, rhai wedi meddwi a rhai wedi yfed gormod. Rywbryd yn ystod y noson, daethpwyd â chacen pum llawr i mewn, ei thorri a rhoi darn i bawb. Cyn y wawr, bu tân gwyllt a fflamau ar y teras.

Canwyd y gân olaf am chwarter i bump y bore. Pacio'r offer wedyn, a llwytho'r ceir. Roedd Zbigniew ar hast. Roedd disgwyl iddo weithio eto mewn stiwdio sain y diwrnod hwnnw. Doedd e ddim wedi cysgu ers dwy noson. Dros y penwythnos, gan gynnwys y briodas, y sesiwn recordio'r noson cynt a'r prosiect oedd yn aros amdano ddydd Sul, byddai'r technegydd wedi ennill 1,200 *zloty*, sef tua £250. Ei gyflog am fis o waith yn y coleg oedd tua 1,400 *zloty*, sef llai na £300. Dros y penwythnos, gan weithio ddydd a nos, oherwydd ei sgiliau a'i brofiad, gallai ddyblu ei incwm a phrynu gwell byd i'w deulu. Ond roedd y pris yn uchel. Mae dynion a merched tri deg pump oed yng Ngwlad Pwyl yn cael eu hystyried yn ganol oed. Yn draddodiadol, mae'r gweithlu'n ymddeol yn hanner cant a phump oed. Mae eu cyrff yn plygu o dan bwysau blinder oes erbyn hynny.

Dyma'r ceir wedi'u llwytho nawr, a'r band yn suddo i'r seddi. Doedd y gyrwyr ddim wedi yfed ers deg o'r gloch y noson cynt, a'r lleill wedi meddwi a sobri ddwywaith. Yn y gerddi clywn gnocell y coed yn drymio ar geubren, a dyna was y neidr yn hofran uwchben y dŵr llonydd yn y llyn hwyaid. Roedd hi'n wyth y bore arnom yn cyrraedd Poznań. Mi gysgais innau tan hanner dydd. Erbyn hynny roedd Zbigniew wedi hen ddechrau ar ddiwrnod arall o waith ychwanegol.

Gwersi Hanes yn Sarajevo

PAN GWRDDAIS â Mile Pešorda yn Iwerddon yn 2008, go brin imi feddwl y byddai'r bardd Croataidd hwn yn trefnu llety i Amanda a finnau gydag offeiriadon pabyddol Sarajevo cyn pen y flwyddyn. Ond wrth i ddyn drafaelu, ni ŵyr yn iawn ble y bydd ei wely.

Newydd dreulio tair noson ar ynys Mljet ym mae Dubrovnik yn ne Croatia yr oeddem. Ynys anial yw honno, a'r fforest yn drwch drosti, ac mewn gwesty ar lan culfor delfrydol yno y bu Cymdeithas Iwerddon-Croatia yn cynadledda yn 2009. Wedi trin a thrafod agweddau ar hanes a diwylliant y naill wlad a'r llall, roeddem yn wynebu taith hir yn ôl i Wlad Pwyl i'r coleg, a'r Gwyddelod hwythau'n cael hedfan i Ddulyn.

Cymal cyntaf y daith i ni, wedi dychwelyd i'r tir mawr ar wibgwch pwerus, oedd o Dubrovnik i Sarajevo. Hedfan o Sarajevo i Warsaw wedyn, ac oddi yno i Poznań. Doedd dim trên o Dubrovnik i Sarajevo, felly bws oedd piau hi.

'Ble byddwch chi'n aros?' meddai Mile Pešorda.

'Wn i ddim,' meddwn innau.

'Hwdwch,' meddai'r bardd, a rhoi darn o bapur yn fy llaw. 'Caf i lety i chi. Mi ffoniaf y rhif yma. Daw rhywun i'r stesion i gwrdd â chi.'

Taith tua chant a hanner o filltiroedd yw hi o Dubrovnik i Sarajevo – gwaith pum awr ar y bws. Cyn pen awr, roeddwn wedi sylweddoli bod tebygrwydd hynod rhwng Caer, sef y sir yng ngorllewin Lloegr sydd am y ffin â gogledd Cymru, a Bosnia, un o'r gwledydd a ffurfiwyd (neu a ailffurfiwyd) yn sgil datgymalu Iwgoslafia. Sir Gaer a Bosnia – pa berthynas sydd rhyngddynt? Y ffaith bod tamaid bach o'u ffin yn arfordir, ond dim ond tamaid bach. Faint o Sir Gaer sydd yn arfordir felly? Prin deng milltir rhwng Sir y Fflint a dinas Lerpwl. A faint o wlad Bosnia sydd yn arfordir? Ychydig dros bum milltir, a'r pum milltir hynny yn hollti Croatia ac yn gwahanu Dubrovnik a'r pigyn pellaf i'r de oddi wrth weddill y wlad. Dyma bum milltir y bu ymladd ffyrnig drostynt yn ystod y rhyfel cartref yn yr 1990au, oherwydd yn y fan hon y mae'r porth i ddyffryn sydd gyda'r mwyaf ffrwythlon ar lannau dwyreiniol Môr Adria, sef dyffryn Mostar. Wedi croesi'r ffin i Fosnia ar lan y môr, troi i'r dyffryn wnaeth y bws.

Perllan coed orennau oedd y dyffryn, yr un fwyaf a welais erioed. Dyffryn helaeth, ffrwythlon yn nythu rhwng elltydd a chreigiau anial Bosnia. Er mwyn dyfrhau'r perllannau, roedd camlesi a ffosydd wedi eu cloddio yn y pridd coch, a'r ardal i gyd hyd at fôn y mynyddoedd yn ail baradwys las. Ond hawdd difwyno gwedd paradwys, a dyna a ddigwyddasai y flwyddyn cynt pan fwrodd hi gawod o gesair anferth ym mis Mai, gan ddifetha'r blodau i gyd. Blwyddyn anghofio'r llanast oedd 2009.

Wrth inni fynd ymhellach i'r dwyrain, deuai mynwentydd y Moslemiaid yn fwyfwy amlwg ar hyd godre'r ffordd. Ugain mlynedd ynghynt, buasai'r wlad yn danfa ac yn rhyfel. Yn ninas Mostar – Pen-y-bont – mae ôl y bwledi ar y muriau. Wedi mynd trwy Mostar, roeddem yn dilyn heol y mynydd. Wrth ei bod yn nosi, fe welwn y graig serth a'r nant, a'r dyffryn yn culhau. Toc wedi hynny, sylweddolais fod y gyrrwr wedi rhoi cerddoriaeth Arabaidd ei naws ymlaen – Arabaidd neu Dwrcaidd – ond roedd y cywair yn wahanol i gerddoriaeth safonol gorllewin Ewrop.

Ar faes uchel, agored yng nghanol y mynyddoedd y mae dinas Sarajevo. Mae maestrefi helaeth o'i chwmpas. Pan gyrhaeddon ni'r orsaf, doedd fawr ddim golau ar y strydoedd.

Safon ni'n amyneddgar ar y palmant. Daeth gŵr ifanc maes o law. Roedd yn ymwybodol iawn o'i gyfrifoldeb: gofalu am gyfeillion o wlad dramor, a chyfeillion i genedl y Croatiaid, a mynd â nhw yn saff i loches yr aelwyd eglwysig.

Fel y Gwyddelod a'r Pwyliaid, mae'r Croatiaid yn diffinio eu hunain yn ôl eu hymrwymiad i'r grefydd babyddol. Fel y Gwyddelod a'r Pwyliaid, bu hanes yn greulon wrth y Croatiaid. Fe gawsant eu herlid a'u gorchfygu, a bu bron i'w cenedl gael ei diddymu yn y cyfnod diweddar. Ac yn Sarajevo, prifddinas Bosnia, lleiafrif yw'r Croatiaid, lleiafrif yw'r Cristnogion pabyddol. Sarajevo yw'r unig ddinas yn Ewrop, felly, lle mae Moslemiaeth yn grefydd fwyafrifol.

Fe gyrhaeddon ni'r llety am chwarter wedi wyth. Cartref i tua wyth o glerigwyr oedd y tŷ. Arhosai'r cwmni amdanom yn y stafell fwyta. Roedd yn amlwg eu bod ar eu cythlwng, ond yn ddiau bu cytundeb iddynt beidio â swpera nes i'r ymwelwyr gyrraedd. Bendithiwyd y pryd, a dechrau bwyta'n awchus. Wrth dreulio'u bwyd, buan y magodd y cymrodorion nerth i sgwrsio. Pwy oeddem ni? Sut oeddem ni'n adnabod y bardd a'r llenor Mile Pešorda? I ble yn union yr oeddem ni'n mynd? Bodlonodd y tad hynaf ar ein hatebion syml a didwyll, a chynnig rhagor o win inni. Ymlaciodd pawb yn braf.

Yn yr iaith Almaeneg y bu'r sgwrs y noson honno, oherwydd yn Munich y cafodd offeiriaid pabyddol Sarajevo eu hyfforddi. Pan oedd y pryd ar ben, fe godod pawb a dymuno nos da inni. Arhosodd y tad.

'Anaml mae menyw yn cael aros yn y tŷ, siŵr o fod!' meddai Amanda wrthyf dan ei dannedd yn ein hiaith ein hun.

'Gymerwch chi ragor o win?' meddai'r lletywr.

Aeth hi'n sgwrs am hanes y Croatiaid. Ym mhob diwylliant, mae'n debyg bod yna lefydd sydd yn crynhoi holl drallod ac anobaith y genedl, neu ogoniant a balchder y gorffennol – Cilmeri, y Somme, Waterloo, Culloden. Ac mae'r enw Bleiburg yn hanes Croatia yn ennyn dirfawr ddigalondid, atgasedd ac ing. Ond pam? A ble mae Bleiburg?

Yn nhalaith Kärnten yn ne Awstria mae Bleiburg. Dafliad carreg oddi yno mae'r ffin â Slofenia heddiw. Ac yn y mynyddoedd – blaenlethrau'r Alpau – rai milltiroedd i ffwrdd mae'r ffin â'r Eidal. Klagenfurt yw'r dref fwyaf yn y cyffiniau. Dyma'r union ardal lle mae tiriogaeth yr ieithoedd Slafonig, Germanig a Románs yn cwrdd. Clywir Slofeneg, Almaeneg ac Eidaleg yn gyson ar y llethrau sgïo yno heddiw. Ond nid dyna sy'n peri poen i'r Croatiaid.

Cymerodd yr offeiriad ei wydr yn ei law, blasu'r gwin sur ac adrodd hyn o hanes, yn dawel iawn ei lais a'i drem ymhell.

'Haf 1945 oedd hi. Roedd y rhyfel yn dod i ben. Byddai'r ffiniau newydd yn cael eu gosod ym mhle bynnag y byddai'r naill fyddin a'r llall yn stopio. Roedd milwyr Tito yn gwthio tua'r gogledd i atal y Cynghreiriaid rhag cipio dim tir yn Slofenia. Roedd y Cynghreiriaid yn bwrw'u rhwyd dros Awstria er mwyn cipio tiriogaeth yr Almaenwyr bob modfedd.'

Yfodd y storïwr lymaid arall.

'Rhwng Serbia ac Awstria, dyna ble mae Croatia nawr, a dyna ble roedd y Croatiaid yn 1945, rhwng y morthwyl a'r einion, ys dywedan nhw. Ffôdd cannoedd o filoedd rhag Tito, a cherdded ar draws Slofenia, a chroesi afon Drau i mewn i Awstria. Gobeithio cael lloches a chefnogaeth gan y Saeson yr oedden nhw – y Saeson oedd yn Klagenfurt. Ac fe wnaeth torf enfawr o Groatiaid ymgynnull ar y maes yn Bleiburg. Ond eu bradychu wnaeth y Saeson: eu diarfogi, a'u hela yn ôl dros y ffin. Roedd milwyr Tito yn aros amdanyn nhw, a chawsant eu dal. Bu farw saith can mil ohonon ni ar y *death-marches* tua'r de. Saith can mil.'

Aeth y dyn yn dawel. Fe gododd i ymofyn llyfr o'r silff.

'Cewch chi hwn gyda fi.'

Hanes y trychineb oedd y llyfr, a hynny mewn tair iaith: Croateg, Saesneg ac Almaeneg.

Bore trannoeth, aethom am dro yn y ddinas gyda'r gŵr ifanc oedd wedi ein hebrwng o'r orsaf y noson cynt. Gwelon ni'r *bazaar*, yr Eglwys Uniongred Rwsiaidd, y synagog, cardotwyr a gwestai moethus pum seren. Ac yn annisgwyl iawn, ar lechen ar y wal ar gornel ddi-nod, roedd yr ysgrifen hon:

From this place on 28 June 1914 Gavrilo Princip assassinated the heir to the Austro-Hungarian throne Franz Ferdinand and his wife Sofia.

'Dewch,' meddai'n tywysydd, 'mae'n bryd mynd i'r maes awyr.'

Yn ystod y misoedd nesaf, bu cais Croatia i ddod yn aelod o'r Undeb Ewropeaidd yn destun siarad yn y cyfryngau rhyngwladol. Cyn y gellid derbyn Croatia yn aelod o'r UE, rhaid fyddai cael cymeradwyaeth pob un o'r aelodau eraill. Ac, am resymau hanesyddol, roedd Prydain yn gyndyn i bleidleisio dros y cais. Yn haf 2011 felly, aeth Prif Weinidog Croatia, Jadranka Kosor, i Lundain i bleidio'i hachos. Fe gafodd addewid gan y Prif Weinidog, David Cameron, y byddai Prydain yn cefnogi Zagreb. Ond er gwaethaf cymodi, gwrthod rhyddhau'r ddogfennaeth briodol am Bleiburg, 1945, y mae Llundain byth. Bu ymgyrch ffiaidd yn Iwgoslafia am ddegawdau i gadw cyfrinach arswydus y gyflafan dan glo. Ond, cyfrinach neu beidio, ar ôl Gorffennaf 2013 bydd Croatia a Phrydain yn eistedd wrth yr un ford yn Senedd Ewrop.

Madarch Hud a Fodca

MAE'R GOLEUADAU FFORDD a thraffig hwyr gogledd Gwlad
Pwyl yn gwibio heibio inni yn ddi-wên. Clywaf ddistawrwydd
yr oriau mân yn disgyn fel plu ar wyneb y wlad. Arwydd ffordd
nawr: Poznań 160. Dengys y cloc bach digidol ar y dash ei
bod yn chwarter wedi un y bore. Bydd hi'n bedwar erbyn i
fi glwydo. Mae modur y fan yn hwmian canu. Pendwmpian
mae'r rhan fwyaf o'r band. A dyma lais wrth fy ysgwydd yn
dechrau adrodd stori.

'Aeth dyn i mewn i siop.

"Sachaid o fogeiliau ceffylau, os gwelwch yn dda."

"Beth?"

"Sachaid o fogeiliau ceffylau," meddai'r dyn.

"Does dim bogel gyda ceffyl, wir," meddai'r siopwr.

"Oes," meddai'r dyn, "dim ond i chi graffu trwy'r blew."

"Dewch yn ôl fory, wnewch chi?" meddai'r siopwr.

"Pam?"

"Bydd y wraig yn gweithio fory. Mae hi'n gwybod mwy am
geffylau."

"Gwrandwch," meddai'r dyn, "dw i wedi bod ymhob siop
yn y dref yma, a'r un ateb sy gyda pawb."

"Beth?" meddai'r siopwr.

"Bod y wraig yn gwybod mwy am geffylau."

"Well i chi fynd gartre a gofyn i'ch gwraig eich hun 'te."

"Dw i ddim wedi priodi eto," meddai'r dyn.

"'Na beth sy eisiau i chi wneud yw priodi gynta gellwch
chi 'te. Cewch wybod mwy am geffylau wedyn, bogel neu
beidio."

Ac aeth y dyn o'r siop i chwilio am wraig.'

Mae un o'r band yn chwyrnu'n rhonc yn y cefn, a'r gyrrwr yntau'n gwrando ar negeseuon ar y radio gan gerbydau eraill: cyflwr yr heol, yr heddlu'n gwylio yn y fan a'r fan, heol ar gau yn rhywle oherwydd damwain. Arwydd ffordd arall: Poznań 150. A dyma'r llais yn ailgydio yn ei chwedl...

'Y noson honno roedd y siopwr yn cael swper gyda'i briod.

"'Na ddyn od ddaeth mewn i'r siop heddi."

"Iefe?"

"Wyt ti'n gwbod beth oedd e'n moyn?"

"Nagw, beth?" meddai'r wraig.

"Sachaid o fogeiliau ceffylau."

"Sachaid o fogeiliau ceffylau! Pam na fyddet ti wedi dweud wrtha i? Mae un mas y cefn heb ei gwerthu ers misoedd gyda fi..."

"Oes e?" meddai'r siopwr.'

Dyma lori fawr yn taranu heibio inni. Sŵn can tunnell yn ymdoddi i bellter gwag y nos. A finnau'n yfed llond ceg arall o'r botel fodca sydd ym mhoced fy nghot. A'r llais unwaith eto...

'Wedi mynd mas o'r siop, bu'r dyn yn chwilio am wraig am flwyddyn, a chwrdd â merch deg ymhen hir a hwyr. Ac wedi priodi, dathlu'r neithior, a gofyn i'w gymar bryd hynny:

"Fy annwyl gariad, a wyddost ti ryw lawer am geffylau?"

"Ceffylau," meddai hi, "mae pedair coes gyda nhw."

"Ac wedyn?"

"Cwt hir, a mwng rhawn."

"Ac wedyn?"

"Dannedd cryfion."

"Ac wedyn?"

Aeth yr ymryson yn ei flaen. O'r diwedd, gofynnodd y gŵr:

"A bogel?"

"Bogel," meddai hi, "dim ond gyda ebolion mae bogel."

"Dim ond gyda ebolion?"

"Ie," meddai hi, "maen nhw'n cwympo wedyn erbyn bydd yr ebol yn flwydd oed, a thyfu'n fadarch."

Aeth y dyn yn dawel wedyn a mynd i feddwl: "Dyma fi wedi priodi merch sy'n credu bod madarch yn fogeiliau ebolion sy'n cwympo pan fydd y creadur yn flwydd oed."

"Af i'r ffair ben bore i brynu ebol," meddai fe, "a chawn weld ym mhen y flwyddyn a gwmpith ei fogel a thyfu'n fadarchen neu beidio."

A chysgodd y dyn.'

Llymaid arall o fodca amdani. Mae'r lleuad yn uchel yn y nen erbyn hyn a'r sêr yn pingo. Mae'r gyrrwr yn llonydd fel delw o flaen yr olwyn a'r modur yn canu grwndi.

'Ymhen y flwyddyn, sylwodd y pâr bod madarch yn tyfu ar y ddôl lle roedd yr ebol yn arfer pori.

"Nawr 'te," meddai'r dyn wrth ei briod, "dyna'r ebol yn pori ar y ddôl, ac yntau'n flwydd oed, a'i fogel wedi cwympo mae'n amlwg, achos mae llond y ddôl o fadarch yn tyfu lle nad oedd dim madarchen yn arfer bod."

"Da iawn," meddai'r wraig, "rhaid iti hel y madarch nawr a'u rhoi mewn sach a'u cadw tu ôl i'r tŷ am flwyddyn a'u gwerthu pan fyddan nhw wedi sychu."

"Does dim sach digon o faint gyda fi," meddai'r dyn.

"Well iti fynd i brynu un 'te," meddai'r wraig. "Pydru wnaiff y madarch fel arall. Cer!"

Dyma'r dyn yn dychwelyd i'r siop lle roedd e wedi bod ddwy flynedd ynghynt, a gofyn am sach digon o faint i gynnwys llond dôl o fadarch.

"Ai chi yw'r dyn fuodd yma ddwy flynedd yn ôl eisiau prynu sachaid o fogeiliau ceffylau?" meddai'r siopwr.

"Ie," meddai'r dyn.

"Ac aethoch chi i chwilio am wraig achos bod y merched yn gwybod mwy am geffylau?"

"Do."

"Ac fe briodoch wedyn, ac fe ddywedodd y wraig wrthoch chi mai dim ond gyda ebolion mae bogel, a'u bod nhw'n cwympo pan fydd yr ebol yn flwydd oed a thyfu'n fadarch?"

"Do."

"Ac mi brynoch ebol, ac erbyn hyn mae hwnnw'n flwydd oed, ac mae'r ddôl lle mae'n pori yn llawn madarch?"

"Ydy."

"A dyna pam dych chi eisiau sach nawr yw er mwyn ei llanw â'r madarch dyfodd oddi ar fogel yr ebol?"

"Ie," meddai'r dyn.

"Mae'n ddrwg iawn gen i," meddai'r siopwr, "does dim sach digon o faint i gael gyda fi."

Fel mae'n digwydd, roedd gwraig y siopwr yn y fan a'r lle.

"Beth sy'n bod arnoch chi, ddyn?" meddai hi. "Mae sach mas y cefn a'i llond o fogeiliau ceffylau. Dim ond inni daflu rheini ac fe gawn ni werthu'r sach i'r gŵr bonheddig yma."

Edrychodd y dyn ar y siopwr a'i wraig yn syn.

"Dych chi'n dweud wrtha i nawr bod sachaid o fogeiliau ceffylau mas y cefn gyda chi?"

"Oes."

"A finnau wedi bod yn chwilio sut beth ers dwy flynedd."

"Am wn i."

"A'ch bod chi'n fodlon eu taflu nhw nawr i werthu'r sach i fi."

"Ydyn."

Dyma'r dyn yn cael syniad wedyn.

"Dewch i fi weld un o'r bogeiliau ceffylau yma."

Daeth y wraig yn ôl ymhen dwy funud a dangos cledr ei llaw.

"Wela i ddim byd," meddai'r dyn.

"Beth sy'n bod arnoch chi?" meddai'r wraig. "Dyna'r bogel ceffyl perta welais i erioed a dych chi ddim yn gweld dim."

Trodd y dyn at y siopwr.

"Dych chi'n gweld rhywbeth?"

"Ydw, ydw," meddai'r siopwr, "clamp o fogel ceffyl, y perta welais i erioed."

Edrychodd y dyn drachefn ar law gwraig y siopwr. Doedd dim i'w weld.

"Mae nam ar eich golwg chi," meddai'r wraig.

"Oes," meddai'r siopwr, "nam."

"Beth wna i?" meddai'r dyn gan rwbio ei lygaid â chefn ei law.

"Rhaid i chi olchi'ch llygaid â dŵr ffynnon dim ond i'r dŵr gael ei godi o'r ffynnon ar ddydd Sul y Pasg wrth bod yr esgob yn darllen yr offeren."

"Duw, Duw," meddai'r dyn.'

Mae'r radio'n dal i boeri ac i ffrwtian ym mlaen y cerbyd. Sŵn chwyrnu yn y cefn. Un o'r bois eraill yn gwrando ar MP3 erbyn hyn. Ai fi yw'r unig un sy'n gwrando ar hanes y bogel? Arwydd ffordd: Poznań 125. Drachtio'r diferion olaf o'r botel.

'Aeth y dyn adre ac adrodd y cyfan wrth ei wraig.

"Awn ni i'r ffynnon ddydd Sul y Pasg," meddai hi. "Bydd popeth yn iawn."

"Iawn," meddai'r dyn, gan ddechrau difaru braidd iddo fynd ar gais sachaid o fogeiliau ceffylau erioed.

Aeth y pâr at y ffynnon ddydd Sul y Pasg. Golchodd y dyn ei lygaid wrth i'r esgob ddarllen yr offeren, a dychwelyd i'r siop, a gweld clamp o fogel ceffyl ar gledr llaw gwraig y siopwr. A dyma'r siopwr yn gofyn iddo:

"Pam oeddech chi eisiau prynu sachaid o fogeiliau ceffylau pan ddaethoch chi i mewn i'r siop gynta erioed dair blynedd yn ôl?"

Edrychodd y dyn arno'n syn.

"Dw i ddim yn cofio," meddai, "ond does dim gwahaniaeth nawr. Mae fy ngolwg i wedi gwella, mae ebol praff gyda fi yn pori ar y ddôl, mae'r madarch mwya blasus yn y byd yn tyfu lle na fu'r un fadarchen yn tyfu erioed, ac ar ben hynny mae gwraig annwyl yn disgwyl amdanaf gartre, a diolch yn fawr iawn i chi'ch dau am eich cymorth."

"Croeso mawr," meddai'r siopwr, "a chewch chi'r sachaid bogeiliau ceffylau gyda ni am ddim."

"A hir oes i chi," meddai'i wraig, "a chofiwch ni at eich cymar."

"A pheidiwch â bwyta gormod o'r madarch yna," meddai'r siopwr.

"Achos," meddai'r wraig, "bydd eich pen chi'n troi fel dyn dwl."

Ac i ffwrdd â'r dyn yn fodlon ei fyd.'

Dyma lori arall yn sboncio heibio inni. Poznań 100 nawr. Edrychaf allan ar y dirwedd lom, ddiddiwedd. 'Ble yn y byd mawr ydw i?' meddwn i wrth fy hunan. A theimlo fy mhen yn troi fel melin.

Roedd hi'n bedwar o'r gloch y bore erbyn i fi gyrraedd fy ngwâl. Wn i ddim sut des i i ben â rhoi'r allwedd yn y clo. A dyma fi'n breuddwydio yn aflonydd am loris enfawr, radio'n ffrwtian yn anghyfiaith, llond dôl o fadarch a sachaid o fogeiliau ceffylau. A fy hoff emyn Pwyleg yn torri ar draws y delweddau: 'Gdybyşmy zasypiali, niech Çie nawet sen nasz chwali' – 'os digwydd, Arglwydd, inni gysgu, boed i'n breuddwyd Dy foliannu'. Pan ddeffrais drannoeth, sylweddolais nad oeddwn wedi tynnu fy nhrowsus. Teimlais y dillad gwely â chledr fy llaw; roedden nhw'n sych, diolch byth. Roedd fy mhen yn dost, fy ngheg yn sych gorcyn a chanpunt yn fy mhoced am fy nhrafferthion cerddorol.

Arian Brwnt y Gwyddel

WYTHNOS SAN PADRIG ces i gynnig gan dafarn Wyddelig yn Szczecin: gig acwstig i dri o bobol, caneuon bywiog a chymysgedd offerynnol, chwarae am ddeugain munud dair gwaith rhwng wyth ac un ar ddeg yr hwyr, a'r cyfan am 200 *złoty* yr un, gan ychwanegu pryd o fwyd a chostau trafaelu. Fel mae'n digwydd, roedd y noson honno'n rhydd gennyf, a chan ei bod yn wythnos San Padrig rhaid oedd manteisio ar bob cyfle. Felly derbyn y cynnig wnes i, ar yr amod ein bod yn cael llety a brecwast yn y fargen. Ar ôl peth grwgnach, fe gytunodd y perchennog. Byddai'n warth iddo beidio â chael cerddoriaeth a hithau'n wythnos gŵyl genedlaethol Iwerddon.

Rhyw dair awr yw hi o Poznań i Szczecin ar y trên. Mae tair yn mynd yn bedair erbyn cyrraedd pen y daith, a phedair yn bump os bydd y trên yn hwyr. Y fantais o wneud gig acwstig oedd y ffaith nad oedd angen llusgo offer trwm o un fan i'r llall, na threulio dwy awr ychwanegol yn gosod yr offer ac yn ei ddatgymalu ar ddiwedd y noson. Wrth gwrs, petai'r dafarn yn fawr ac yn swnllyd, byddai noson ddibleser o'n blaen.

Fe gyrhaeddom ben y daith yn ddiffwdan ac ymarllwys i'r dafarn, pawb a'i goflaid o offerynnau a bagiau dros nos. Yn aml iawn, fe ŵyr cerddor yn fras ar yr olwg gyntaf sut noson sydd o'i flaen. A doedd hon, yn y Celtic Pub, ddim yn argoeli'n rhy ddrwg. Yn un peth, roedd y gornel lle roedd disgwyl inni chwarae yn weddol gul: byddai'r miwsig yn atseinio oddi ar y tair wal. Sylwais yn fodlon fod ffan nobl ynghanol y stafell. Byddai hynny yn ein hachub rhag drewdod mwg a baco. Lan stâr ar y llawr uchaf o dan y bondo roedd llofft dderbyniol iawn ei maint a'i gwedd wedi'i pharatoi ar ein cyfer. Mae'r Gwyddelod yn gofalu am ei gilydd tramor, dim ond i sicrhau nad oes dim sibrydion yn cyrraedd yr Ynys Werdd ynglŷn â diffyg croeso yn eu plith i'w cydwladwyr.

Pan ddaeth hi'n bryd i'r noson ddechrau, aethon ni trwy'r set gyntaf yn ddigon hwylus, a chael egwyl wedyn er mwyn blasu arlwy'r gegin fach. Dyna pryd y dechreuodd safonau go iawn y busnes amlygu eu hunain. Bu digon o fwyd, ond roedd ei flas yn debycach i bapur wedi'i ystwytho mewn saim a'i ffrio nag i unrhyw beth oedd yn dwyn enw gwaraidd. Mae bwydydd arbennig iawn gan y Pwyliaid, bwydydd gwledig a go faethlon mae'n wir, ond dim ond pan fydd y cynhwysion yn ffres a'r gwaith coginio ddim yn rhy lawdrwm y mae'r arlwy traddodiadol yn dda. Syllon ni'n ddileferydd ar y pytiau truenus ar y platiau o'n blaen – pocedi toes meddal wedi'u llanw â briwgig digymeriad – a bwrw iddi yn ddiseremoni rhag i'r saig oeri.

Wrth inni fwyta'n surbwch, daeth y perchennog heibio. Dyn amlwg ei fol o ganolbarth Iwerddon oedd e. Cwt ei grys e mas, a locsyn o wallt afreolus yn gorwedd ar ei sbectol drwchus. Un oedd heb arfer â moesau bonheddig efallai.

'Did ye get the grub, lads?' meddai'n gwta.

'Thanks, very good,' meddwn innau.

Fe safodd y dyn am eiliad i graffu ar y platiau.

'I wouldn't fuckin' eat it,' meddai, gan gollfarnu cynnyrch ei gegin ei hun, a mynd yn ei flaen ar ei ben i'r bar ffrynt.

Yn ystod pob cyngerdd, mae rhyw eiliad dyngedfennol yn dod pan fydd y band yn meddwl naill ai 'gorau po gynta yr awn ni o'r twll yma' neu 'go dda, bobol, cawn ni hwyl arni heno!' O'r eiliad yr agorodd perchennog bloesg y Celtic Pub ei enau i wneud sylw cas am y bwyd yr oedd e wedi bod yn ddigon dienaid i'w gynnig inni, dim ond un peth oedd ar feddwl pob un ohonom: trên y bore.

Ond cyn pen awr a hanner fe aeth yn noson ddiddorol iawn. Dechreuodd y bennod nesaf yn ystod yr egwyl fer ar ôl yr ail set. Rywle rhwng y bar a'r tai bach, dyma lais Gwyddelig yn fy nghyfarch. Llipryn main tua thri deg pump oed a'i lygaid yn dreiddgar oedd y dyn oedd eisiau pigo sgwrs â fi. Roedd e'n un o dri oedd wedi hedfan i Ferlin y noson cynt gan obeithio dal y trên i Szczecin. Ond roedd yr awyren ychydig bach yn hwyr, a dyma'r tri'n penderfynu cael tacsi bob cam. Mae hi dros gant a hanner o filltiroedd o Ferlin i Szczecin, ac fe gostiodd y tacsi 400 ewro. Sylwais i fawr ar arwyddocâd y stori hon yn y fan a'r lle. Ond roedd y ffaith i'r brawd hwn o Castleisland, Kerry bwysleisio mai 'dim ond 400 ewro' gostiodd y tacsi wedi fy nrysu ychydig bach. Roedd yn ymffrost digamsyniol. Ond pam?

Yn fuan wedyn, dechreuodd y noson gynhesu. Fel mae'n digwydd, roedd un o'r tri chyfaill yn ddawnsiwr pen ei gamp. Ar amrantiad, wrth inni chwarae rîl gyflym, dyma fe'n clirio un o'r bordydd, rhoi'r diodydd o'r neilltu, llamu ar y ford a dechrau dawnsio nerth ei draed. Fe godon ni heb golli nodyn, a chlosio at y ford, a dyma'r dorf fach yn dechrau cynhyrfu a churo dwylo ac annog y dawnsiwr a'r cerddorion. Dyna oedd uchafbwynt y noson. Am ddeng munud wedi un ar ddeg, daeth y perfformio i ben, ac erbyn hanner nos roeddem wedi cilio i'r llofft i gnoi cil ar y cyfan. Roedd yr un peth wedi gwawrio ar ddau ohonom o leiaf. Ond mae angen peth o'r cefndir i ddeall pam.

Ar ôl Cyfamod Dydd Gwener y Groglith yn 1998, fe gefnodd gweriniaethwyr milwrol Iwerddon ar y frwydr arfog a dewis llwybr gwleidyddiaeth. Ond yn sgil y diarfogi a'r newid trywydd, fe adawyd dwylo lawer yn segur yng ngogledd yr ynys ac, yn wir, yn y de hefyd. Roedd y dwylo hynny wedi arfer byw – a lladd – tu hwnt i'r gymdeithas arferol ac yn groes i gyfraith gwlad. Parhau i fyw'n anghyfansoddiadol wnaeth nifer o'r milwyr *guerilla*, gan droi eu golygon at y farchnad gyffuriau a rheoli eu cymunedau mewn amgenach ffyrdd – gan gynnwys trais. Rhaid oedd cuddio'r arian a enillent yn delio mewn cyffuriau yn ddichellgar, a mynd ag e i'r cyfandir oedd y peth i'w wneud.

Ar y cyfandir, boed yn Sbaen neu yng Ngwlad Pwyl, efallai, bu cyn-aelodau yr IRA yn prynu eiddo ac yn buddsoddi yn y diwydiant adeiladu. Ffordd bosib arall o allforio'r arian yn dawel fyddai agor tafarn, a defnyddio cownter cyhoeddus yn fan cwrdd i'r rhwydwaith oedd yn mynd a dod o Iwerddon. Felly dyma dafarn fach ddinod yn Szczecin, gogledd Gwlad Pwyl, y perchennog o Wyddel yn llawn dirmyg tuag at ei gwsmeriaid ei hun a thri chyfaill iddo wedi dod o Ferlin mewn tacsi i fwrw'r penwythnos a thrafod busnes. Ac mae Castleisland, Kerry, cartref y dawnsiwr, yn un o gadarnleoedd traddodiadol yr IRA.

Yn y llofft, cyn diffodd y golau, buom yn trafod y cwmni.

'Un o ble oedd y boi gwallt coch yna?' meddai un, gan gyfeirio at ddyn ifanc cydnerth oedd yn rhan o'r cwmni.

'Wrth ei acen – Armagh, Tyrone…' meddwn i.

'Gorau po gyntaf awn ni o 'ma,' meddai pawb wrtho'i hun.

Toc wedi canol dydd trannoeth, roeddem wedi cyrraedd Poznań yn saff unwaith eto, gan ddiolch nad oeddem wedi pechu neb yn y Celtic Pub. Annhebyg y byddaf yn mynd yn ôl yno.

Y Nadolig yn Poznań –
Bwydo'r Tlodion

YN Y GAEAF, ambell i flwyddyn, mae afon Warta yn dechrau rhewi ym mis Rhagfyr. 'Cau' mae'r afon, meddai'r Pwyliad. Dychmygwch goridor hir. Dyna'r afon. A dychmygwch fordydd crwn yn cael eu gosod yn y coridor nawr. Gwyn yw'r bordydd; mae lliain claerwyn dros bob un. A phan nad oes lle i ragor o fordydd, maen nhw'n bwrw yn erbyn ei gilydd ac yn atal y llif ac yn ymdoddi i'w gilydd, ac wedyn mae'r afon yn gwbl lonydd, fel llun, er bod dŵr mawr yn llifo'n ffyrnig o dan yr wyneb. A llonydd fydd yr afon tan fis Mawrth. Bryd hynny, erbyn i'r dydd ymestyn ychydig ac i'r iâ fynd yn denau, clywir sŵn ffrwydro mawr, a dyna beth yw'r sŵn yw wyneb yr iâ yn torri ac yn hollti fel platiau tectonig, a'r ffrwd yn eu taflu blith draphlith ar ben ei gilydd. Wyneb wedi'i greithio gan ryfel y tymhorau yw wyneb yr afon bryd hynny, hyd nes i'r iâ ddadleth a rhyddhau'r afon o hualau'r hirlwm, a gwella'r clwyfau.

Mae rhai pobol yn gorfod cysgu tu allan yn ystod y tywydd gerwin sy'n caethiwo'r cawr o afon. Byw yn y coedwigoedd o amgylch y ddinas mae'r digartref yn ystod yr haf. Cânt le i gysgu yn y deildy bryd hynny, a gwylio'r sêr yn eu graddau. Fe'u gwelir yn y ddinas yn pori trwy'r ysbwriel yn rheolaidd. Ar bwys ein fflat ni roedd pobol yn gadael bwyd iddynt ar bwys y biniau. Roedd byw ar weddillion cymdeithas yn grefft i rai. Gwnâi ambell un gert fach er mwyn cario ei lwyth. Roedd casglu poteli i hawlio'r blaendal yn fenter ddigon buddiol iddynt. O fis Ebrill tan fis Hydref, fe ddônt i ben dim ond iddynt fod yn ddyfeisgar ac yn ddarbodus. Y gaeaf yw eu huffern, ac mae'n uffern oer. Oer oedd uffern yn chwedloniaeth y Celtiaid hefyd, nid crasboeth a thanllyd.

Os mai'r gaeaf yw uffern y bobol ddigartref yng Ngwlad Pwyl, y Nadolig yw eu Calfaria. Nid oes dim yn bwysicach i'r Pwyliad na'i deulu a'i berthnasau, ac nid oes achlysur pwysicach iddo na Noswyl Nadolig, oherwydd ar y noson honno mae cydfwyta â'i anwyliaid, a rhannu bord, a chael bod yn ddiogel ar ei aelwyd ei hun yn adnewyddu ei ffydd yn y byd. Mae bod yn ddigartref ac yn ddideulu ar Noswyl Nadolig yng Ngwlad Pwyl yn fwy na thestun cywilydd ac anobaith. Mae'n tanseilio urddas a hunan-barch dyn. Ces i'r fraint annisgwyl o ddysgu'r pethau yma yn uniongyrchol.

Ymarfer chwarae'r ffliwt yn y neuadd yr oeddwn i pan synhwyrais fod rhywun yn sefyll yn y drws. Gan fod y cysgod wedi'i ddenu gan y ffliwt, daliais i chwarae am funud fach. Roedd y gerddoriaeth yn atseinio trwy'r stafell fawr.

'Ddewch chi draw i chwarae inni?' meddai llais dynes ar ôl i fi orffen.

Gwahoddiad ar ran Barka ydoedd, sef mudiad sydd yn gweithio er lles Pwyliaid digartref.

'Dyn ni'n cwrdd yn yr oriel gelf bob prynhawn am bedwar o'r gloch yn ystod yr wythnos cyn y 'Dolig.'

Mi dderbyniais yn llawen, a chael y manylion angenrheidiol.

'Fe welwn ni chi, 'te,' meddai hi, a throi ar ei sawdl.

Cyn pen dim, mi gofiais nad oeddwn wedi gofyn iddi beth oedd ei henw.

Daeth yr wythnos cyn y Nadolig. Roedd hi newydd droi pedwar o'r gloch a'r nos wedi hen gwympo ar ddinas Poznań. Dychwelai'r gweithwyr i'w cartrefi ac roedd y tramiau'n gwegian dan bwysau'r dorf. Gwelwn y tarth ar y ffenestri wrth iddynt rochian heibio, a chlywed sŵn y rhwydau metel yn gwichian wrth i'r perchnogion eu rholio i lawr er mwyn diogelu drysau eu siopau. Byddai'r ddinas fel y bedd toc.

Yn yr oriel gelf eisteddai rhyw ddeg o bobol o amgylch tipyn o ford hirsgwar. Canu emynau yr oeddent, a drachtio eu te poeth yn awchus bob yn ail. Fi oedd y cysgod ar y trothwy y tro yma.

'Pa emyn gawn ni nesa?' meddai'r ferch oedd wedi fy ngwahodd.

Ac wedyn fe welodd fi yn y fynedfa. Cododd yn ddisymwth a rhuthro draw i'm croesawu â breichiau agored.

'Edrychwch pwy sy wedi dod i'n gweld, bobol,' meddai'n falch wrth y cwmni. 'Cerddor o Iwerddon.'

Wedi cael fy nghyflwyno, roedd rhaid i fi fodloni chwilfrydedd y cwmni a chwarae iddynt. Ond roedd cainc neu ddwy yn ddigon am y tro. Roedd pob un eisiau torri sgwrs â fi, a phob un yn awyddus i adrodd peth o'i hanes. Gwnes fy ngorau glas i ymbalfalu trwy gymhlethdodau'r iaith Bwyleg er mwyn cynnal rhyw lun ar drafodaeth.

'Bues i yn Nulyn am flwyddyn,' meddai Marek.

Mi ges wybod am loes a gofid y gŵr hwnnw ar strydoedd prifddinas Iwerddon.

'Polish is very good,' meddai fe, ac wedyn yn eironig, 'Polish is no good.'

Roedd rhyw gymysgedd o ffraethineb a chywilydd yn ei lais, ond fflach o falchder yn y llygaid am ei fod yn medru cymaint â hynny o'r iaith fain.

Pa destun balchder amgenach na hynny all fod gyda dyn sydd heb allwedd yn ei boced, heb gyfri banc, heb nac aelwyd na cheraint i roi swcwr iddo yn ei gyfyngder, dyn na ŵyr lle yn y byd y caiff roi ei ben i lawr a hithau'n rhewi'n greulon? Bûm yn meddwl am y cwestiwn yna lawer gwaith am bump o'r gloch y prynhawn yr wythnos honno. Ond ar Noswyl Nadolig, doedd dim amser i hel meddyliau. Roedd gwaith i'w wneud, a Barka yn disgwyl tri chant o bobol ar eu cythlwng, tri chant o bobol fyddai'n tyrru i borth yr oriel gelf wedi iddi nosi, tri chant o bobol y byddai eu dwylo a'u bochau a'u traed wedi chwyddo gan yr oerfel. Roedd hi'n bryd paratoi'r neuadd a gosod byrddau tu allan ar y palmant o dan y lander. Ni fyddai lle i bawb tu fewn i'r adeilad.

Pan oedd Gwlad Pwyl yn cael ei rheoli gan y Comiwnyddion, roedd to uwchben pawb a doedd fawr neb heb ddŵr. Bywyd dilewyrch, llwydaidd ydoedd yn ystod y degawdau hynny o'r 1950au hyd at 1989, ond teg dweud mai ychydig iawn oedd yn gwbl ddiloches ac nid oedd marw yng nghrafangau'r eira yn fygythiad i'r tlodion. Nid felly y mae hi heddiw.

Roedd rhai o'r bobol a ddaeth i noswyl Barka i gael swper wedi bod yn ddigymdeithas gyhyd nes iddynt fethu â magu digon o hyder i agor y drws a cherdded i mewn. Roeddent wedi bod tu allan gyhyd nes iddi fynd yn beth dierth iddynt feddwl treulio awr neu ddwy tu fewn i bedair wal. Sefyllian yn y cysgodion wnaethon nhw yn disgwyl am dorth, am blatiaid o gig neu am gardod.

Rhoddais innau tuag ugain o roliau gwyn ffres ar hambwrdd yn y gegin a mas â fi i'r stryd. Roedd lamp uchel wrth dalcen yr adeilad yn llosgi'n danbaid. Fel arall, roedd y nos fel bol buwch. Dawnsiai plu eira yn ddi-hid yn y tywyllwch a glanio ar yr hambwrdd gan doddi ar y bara cynnes. Gallwn feddwl bod yr eira'n syrthio o'r nefoedd ac yn troi'n fara i borthi'r dorf wrth iddo doddi. A dyma'r rhai mwyaf anghenus yn nesáu wrth weld yr ymborth gan ymestyn yn wyllt amdano. Gwelais ddysenni o ddwylo'n crafangu am y plât mawr, a'r golau mawr yn anffurfio'u cysgodion yn hyll, a'r nos yn cau'n ddu amdanom, a'r bara a'r eira'n disgleirio'n llachar o flaen fy llygaid. Ymhen pum eiliad dim ond briwsion oedd ar ôl ar yr hambwrdd, a diferion o eira tawdd.

Roedd un fenyw led oedrannus heb fentro cipio dim oddi ar

yr hambwrdd. Safai'n unig wrth gornel yr adeilad. Roedd het eitha posh ar ei phen a'i chot yn un raenus, go ddrud. Roedd yn amlwg mai rhywun oedd newydd golli ei modd i fyw oedd hon. Gwraig weddw ddi-incwm efallai.

'Proszę bardzo,' meddwn i gan ddangos y drws iddi, 'dewch i mewn.'

'Dewch â rhyw gwdyn bach i fi, wnewch chi?' meddai hi. Ac ychwanegu dan deimlad, 'Alla i byth â mynd mewn...'

'Arhoswch funud fach,' meddwn innau, a mynd i'r gegin i hel tipyn bach o gynhaliaeth iddi.

Tu fewn i'r oriel gelf roedd dwy ford tuag ugain llath yr un ar eu hyd a phobol yn eistedd yn dynn wrth ei gilydd bob ochor i'r ddwy ford. Cerddai'r tîm gweini lan a lawr yn llanw jygiau â dŵr a sudd, yn clirio'r platiau gwag ac yn diwallu pawb. Roedd crochanau cawl mawr yn ffrwtian ar ben tân nwy yn y gegin. Wedi'r gwledda, safodd yr esgob ar ei draed, dyn bochgoch, mawr o gorff, a chroesawu pawb, bendithio'r teulu a diolch i'r Arglwydd am ei nawdd.

'A nawr cawn ni gainc gan ein gwestai arbennig o Iwerddon,' meddai Barbara. Roeddwn i wedi dysgu ei henw o'r diwedd. Canodd pawb emyn Pwyleg ar y diwedd i gloi'r noson. 'Nie było miejsca dla Ciebie', 'Iesu tirion, ni fu dim lle i ti'.

Tua wyth o'r gloch, wedi i'r gwesteion fwyta eu gwala, ac ymlacio, a chael teimlo bysedd eu traed unwaith eto, a gadael i wên fodlon ymledu dros eu gwefusau, dechreuodd y dorf wasgaru, ac yn fuan iawn roedd yr oriel yn wag eto. Roedd rhai'n anelu at gartref dros dro, rhai yn ei throi i ryw guddfan ddienw gyda llond sach o fwyd ac eraill ar eu ffordd i'r orsaf fawr dan ddaear yn Rondo Kaponiera. Yn y fan honno gyda'r hwyr ar Noswyl Nadolig, roedd y tlodion a'r digartref a'r difreintiedig yn ymgasglu, ac roedd dinas Poznań yn darparu bwyd a ffrwythau a chnau a chacennau am ddim iddynt i ddathlu'r ŵyl. Ac i Rondo Kaponiera yr es innau.

Ar fy mhwys safai merch tua deuddeg oed yn gwarchod eiddo ei rhieni – llond cês a dwy sach gefn – tra oedd y tad a'r fam yn ciwio i gael elusen. Estynnais fy llaw at y ferch gan gynnig oren fach iddi. Gwrthod wnaeth hi. O fy nghwmpas roedd newyddiadurwyr y ddinas yn tynnu lluniau yn ddall ac yn ddideimlad. Bob yn dipyn roedd y dorf yn gwasgu'n nes ataf, pob un a'i lygad ar y danteithion oedd yn cael eu rhannu dros y canllawiau gerllaw. Sylwais nad oedd dim dihangfa. Roeddwn i'n sownd mewn culfor o bobol mewn gorsaf dan ddaear ar noson o rew yng Ngwlad Pwyl, heb fedru digon ar iaith y fro i ddal pen rheswm â neb. Roedd dyn siriol yr olwg yn sefyll ar fy mhwys yn gwylio'r pantomeim blynyddol hwn.

''Na le sy ma!' meddwn i

Chwarddodd y brawd led ei safn.

'Ing-lish?' meddai fe.

'Tak,' meddwn i yn gadarnhaol, gan benderfynu peidio â hollti blew dan yr amgylchiadau.

Roedd tamaid o fara gwyn yn ei ddwrn – afrlladen denau.

'Hwdwch,' meddai fe, 'rhannwch y bara â fi.'

Estynnais fy llaw, gafael yn y dafell fain a'i thorri yn ei hanner.

'Hir oes ac iechyd da,' meddai fy nghydymaith.

Ar hyd yr orsaf roedd pobol eraill yn rhannu'r bara â'i gilydd yn frawdgar.

Roedd yr olygfa o fy mlaen fel ffilm, a finnau'n dyst mud iddi. Pwyliad yn parablu â fi wrth fy ochr, bara'n cael ei rannu, emynau'n cael eu canu ar lwyfan fechan, balŵns heliwm lliwgar gwirion yn tynnu ar ben cortyn fel perfeddion mawr gwag, rhai pobol yn llanw cwdyn, rhai'n encilio'n araf cyn diflannu i affwys y nos. A sylweddolais nad oeddwn wedi teimlo ofn trwy'r noson, dim ofn yn y byd, er fy mod ynghanol y cyni mwyaf truenus, a llygaid fil yn disgleirio â newyn ac â gobaith bob yn ail.

Odyssey ar y Paith

Ym mis Chwefror 2009 cafodd sioe *Eachtra* ei llwyfannu gan y grŵp. Gair Gwyddeleg yw *eachtra*. Mae'n golygu 'antur'. Ond yn yr hen amser, union ystyr y gair oedd 'mordaith', ac yn amlach na pheidio mordaith tua gorwelion anhysbys. Yn niwedd yr Oesoedd Canol roedd enghraifft o'r *eachtra* Wyddelig yn chwedl boblogaidd iawn ymhlith llenorion Ewrop. *Navigatio Brendani* oedd honno, sef hanes San Brendan a hwyliodd mewn cwch lledr ar draws yr Iwerydd ac i America bell yn ôl pob tebyg. Yn ystod ei fordaith, fe laniodd Brendan a'i gyd-forwyr ar nifer o ynysoedd ac i bob un rhyw nodwedd hynod iawn. Dyna'r patrwm i *eachtraí* eraill yn yr Hen Wyddeleg, a syniad *Eachtra* y sioe oedd mynd â chynulleidfa i nifer o ynysoedd Celtaidd eu hiaith yng ngorllewin Ewrop, nid mewn cwch lledr agored ond trwy ffyrdd y dychymyg a thrwy gyfrwng lluniau, cerddoriaeth, coreograffi a darlleniadau.

Roedd y sioe yn antur wirioneddol i'r grŵp. Ers ugain mlynedd bron, roeddent wedi bod yn hercian o dafarn i dafarn ac o glwb i glwb o dan amodau pur gymysg, yn chwarae er gwaethaf diflastod a diffyg boddhad yn aml iawn, gan dderbyn rywle yn yr isymwybod mai felly oedd hi i fod. Ond 'nid da lle gellir gwell', dyna oedd agwedd y cynhyrchydd yn achos y sioe newydd. Ac o dipyn i beth bu gwelliant, ac yna roedd y sioe yn barod. *Matinee* a sioe gyda'r hwyr oedd y drefn ar ddiwrnod y *premiere*. Roedd pob un o'r tri chan sedd yn llawn ar gyfer y sioe gyntaf, a thua dau gant a hanner o docynnau wedi'u gwerthu at sioe yr hwyr. Dyna dros bum cant o bobol wedi ymuno â'r daith y diwrnod hwnnw, a gweld tirwedd Cymru, Iwerddon a'r Alban, a chlywed ieithoedd dirgel a chudd yr hen Brydain ac Iwerddon yn cael eu llefaru bob yn ail â dyfyniadau yn yr iaith Bwyleg.

Wedi'r llwyddiant ym mis bach 2009, bu saib am flwyddyn. Roedd eisiau tipyn o adnoddau i lwyfannu sioe lle roedd pymtheg o berfformwyr – yn gerddorion ac yn ddawnswyr – yn ymddangos, a hanner dwsin o bobol eraill yn cymryd rhan hefyd yn uniongyrchol neu'n anuniongyrchol. Diolch i ymdrechion y rheolwr – basydd y grŵp – fe ddechreuodd y paratoadau ymffurfio ar gyfer taith ym mis Mawrth 2010. Felly, roedd rhaid i finnau wneud penderfyniad pwysig gan fy mod yn bwriadu ymadael â Gwlad Pwyl rywbryd tua diwedd 2009. Byddai gadael y grŵp yn ergyd i'w cynlluniau, ond byddai ymrwymo i'r daith yn risg: a ellid sicrhau safon y perfformiad ag aelodau'r band ar wasgar? Faint o bwysau fyddai arna i, a pha gyfrifoldebau eraill fyddai gen i erbyn y mis Mawrth canlynol?

Ond roedd rhywbeth arall yn fy mhoeni. Roedd tipyn o hanes diota yn y grŵp, ac roedd y diafol yn y gasgen gwrw, neu'r cythraul yn y botel fodca, yn dal i godi'i ben o bryd i'w gilydd. Ambell waith, roedd y llymeitian yn para tan bump y bore, ac er nad wyf yn sant o bell ffordd, doedd hi ddim yn rhoi unrhyw bleser i fi fynd dros ben shetin a difaru am ddeuddydd wedyn. Ar wahân i hynny, gwyddwn y byddai unrhyw daith yn faith ac yn flinderus, ac yn bwysicaf oll, pe cytunwn i fy enw gael ei gysylltu â'r sioe, byddai rhaid i fi gael cadarnhad gan y band na fyddai yna unrhyw ymddwyn amhroffesiynol yn ystod yr wythnos. Haws dweud na gwneud…

Cafodd rhaglen y daith ei chwblhau toc ar ôl y Nadolig. Roedd hi'n farathon. Fe ddarllenais restr y gigs gan ddal blaen fy nghlust rhwng bys a bawd, arwydd fy mod yn synhwyro bod rhywbeth ar fin mynd o chwith. Roedd naw gig gyda ni mewn chwe diwrnod. Er mwyn ennill cymaint o arian â phosib, roedd y rheolwr wedi trefnu tair gig i ysgolion yn y bore ar ben y gigs min nos. Man cychwyn y daith oedd Poznań, oddi yno i Łódź, Warsaw wedyn, Lublin, Zakopane a Wrocław. Roedd yn debyg i ymgyrch milwrol. Doedd dim lle i unrhyw beth fynd o'i le, ac roedd y gigs bore yn golygu bod diwrnodau pedair awr ar ddeg o'n blaen. Pe bai'r amodau'n ddelfrydol – llety a bwyd da – byddai popeth yn iawn mae'n debyg. Ac erbyn hyn, roedd fy enw ar bosteri yn Warsaw, felly torchi llewys amdani. Nerth bôn braich ac eli penelin oedd yr unig obaith.

Y noson gyntaf, fe gyrhaeddon ni Łódź yn brydlon i osod yr offer yn y theatr a gwneud y prawf sain at y gig trannoeth. Nid oedd ymarfer cyffredinol wedi bod eto, felly dyma oedd y cyfle olaf. Yn lle gorffen y gwaith erbyn wyth neu naw o'r gloch a mynd i'r gwesty i ymlacio a chysgu wedyn, buom yn aros am ddwy awr i ddau o'r cerddorion ymuno â ni. Ar ben hynny, nid oedd y parti dawns a'r cerddorion wedi ymarfer gyda'i gilydd o gwbl, ac roedd y cydamseru'n bur wael rhyngddynt. Ymbalfalu â'r offer sain wedyn nes ei bod hi'n un ar ddeg, a mynd oddi yno heb fynd trwy'r sioe yn iawn. Roedd pawb ar eu cythlwng wrth gwrs, ac yn ôl yr arfer Pwylaidd, aethom i'r garej leol i brynu brechdanau am hanner nos. Ar y ffordd i'r gwesty fe gollodd y gyrrwr ei ffordd. Cyrraedd bwncws dwy seren wedyn, a phawb yn y tŷ wedi mynd i'r gwely, a chanu'r gloch nes i wraig y tŷ ymddangos o'r diwedd. Mi gysgais am ychydig, ond roedd sŵn clebran yn rhywle a'r gwresogydd yn fflamboeth wrth fy ochr.

Dychmygwch y sioe: theatr foethus, deg. Y seddi yn rhesi disgwylgar, coch. Y technegwyr yn prysuro o gwmpas eu gwaith. Y dawnswyr yn dadbacio eu gwisgoedd lliwgar, drud. Y cerddorion yn smwddio crysau gwyn yn y stafell gefn. Y dorf yn dechrau ymgasglu yn y cyntedd, a'r porthor yn cymryd cip ar y cloc cyn agor y pyrth gwichlyd, llydan yn ffurfiol iawn ei osgo. Bydd y llenni'n agor toc, a daw actor cefnsyth i'r llwyfan a datgan ei destun yn Saesneg:

> We are going to the islands where there are candles in the wave and the saints of old, cold as cod, plough their foaming furrow with feather and with ink. To the islands, where salmon run and flash in the bog-red rivers, black sails round the headland, salt gales thunder and the seaweed houses sing of sleep an inch from Atlantic seagull deep.

Er gwaethaf pawb a phopeth, mae'r sioe'n mynd yn ei blaen, ac ar ddiwedd y noson mae'r gynulleidfa'n ymwasgaru'n fodlon. Dyna pryd mae gwaith y band yn dechrau. Llwytho'r fan, a gyrru am dair awr i Warsaw. Roedd yr awyrgylch yn y fan yn drydan ac yn llawenydd i gyd. Daeth potel fodca o rywle. Cyn bo hir roedd chwerthin mawr afreolus yn gwibio i gyfeiriad y brifddinas. Dechreuodd y jôcs.

'Pwyliad, Rwsiad a Thwrc mewn car – pwy sy'n dreifio?'

'Sa i'n gwbod.'

'… Yr heddlu.'

Pwl o chwerthin.

Dyfynnu'r gwleidyddion wedyn. Roedd gwrthblaid PiS y brodyr Kaczyński yn gweld bai ar Donald Tusk am fod y Prif Weinidog wedi pendroni cyn cyfarch y genedl ar ôl y ddamwain erchyll yn Smolensk pan laddwyd bron i gant o uchel swyddogion y wlad. 'Ble oedd Tusk pan…' oedd patrwm y jôc.

'Ble oedd Tusk pan… ganodd Marek?!' meddai rhywun, gan gyfeirio at reolwr y band, boi oedd ddim yn ganwr pen ei gamp. Pwl o chwerthin unwaith eto.

Pan gyrhaeddom y theatr yn Warsaw, doedd dim digon o welyau i bawb. Dyma ugain o deithwyr blinedig yn sefyllian fel defaid o flaen y gorlan yn aros i'r ci eu gyrru i mewn. Daeth y parti dawns i ben â threfnu stafell i'r merched. Roedd tua deg o welyau gwersylla wedi'u gosod ochor yn ochor â'i gilydd mewn stafell hirsgwar arall ar gyfer y bechgyn. Gorwedd ar y llawr yn y coridor wnaeth un o sêr y grŵp, a dyma'r ffidlwr yn dilyn ei esiampl. Roedd yr actor yn chwyrnu cysgu ar dipyn o gadair yn y gornel. Llwyddais innau i gael y gwely gorau yn y stafell orau oherwydd nad oedd neb arall yn ddigon hy i'w gymryd. Roedd soffa yn yr un stafell, a honno'n wely dwbl yn ei blyg, a dyna ble cafodd y ddau amddifad yn y coridor gysgu. O leiaf doedd dim brys yn y bore. Am naw o'r gloch yr oedd y prawf sain i fod.

Dychmygwch hi unwaith eto. Mae hi'n un ar ddeg y nos. Mae'r sioe wedi gorffen, a'r gynulleidfa'n sefyll ar eu traed gan guro dwylo'n frwd a gweiddi eu cymeradwyaeth. Daw'r technegydd sain atom, dyn canol oed sydd wedi gweld cant a mil o sioeau, a'n llongyfarch yn dwymgalon. Yn y cyntedd toc, bydd y band yn llofnodi copïau o'r record. Does dim taith o'n blaen heno. Dyma uchafbwynt eu gyrfa i rai o'r cerddorion mae'n debyg: concwest y brifddinas. Ac wrth gwrs, mae'r bar ar agor.

Yn ôl yr amserlen, byddai rhaid inni godi toc wedi pedwar bore trannoeth, a chychwyn cyn pump. Roedd prawf sain yn Lublin – taith o dair awr a hanner – a chyngerdd am un ar ddeg. Mi baciais fy mag a mynd at y lleill i yfed un glasaid. Ond am hanner nos, dyma reolwr y band yn dod â llond cwdyn o ganiau cwrw i stafell y bechgyn. Meddwad fu, a hynny tan ddau y bore. Yna cafwyd tawelwch tan bedwar. Dwy awr o gwsg.

Efallai y byddwn i wedi maddau popeth i'r cyfeillion, ond am hanner awr wedi pedwar bwriodd y rheolwr yn filain ar y drws a gweiddi ar bawb i godi. Bum munud wedyn, dyma fe eto: fe hyrddiodd ei ffordd i mewn i'r stafell y tro hwn a dechrau cegau fel dyn o'i gof. Doedd dim amheuaeth rhagor. Roedd pethau wedi mynd yn dda ar y llwyfan, ond yn y bôn roedd popeth arall yn prysur ddirywio. A dim ond megis dechrau oedd y daith.

'Gaf i'r arian sydd arnoch chi i fi, plîs,' meddwn i'n dawel iawn.

Aeth llaw'r rheolwr i'w boced. Yn rhyfedd iawn, yr oedd y cyfaill yn gweld fy mhwynt, ac wedi derbyn yr ymddiswyddiad heb ddweud gair o'i ben.

'Mae'n ddrwg gen i dy fod yn mynd.'

'Rhaid mynd weithiau,' meddwn i. Ac ychwanegu yn syth: 'Beth am fy nghostau?'

Dyma oedd yr eiliad dyngedfennol.

'Anfona aton ni wythnos nesa ac fe drosglwyddwn yr arian iti.'

'Dw i'n fodlon â mil mewn arian parod,' meddwn i. 'Os hela i'r anfonebau, aiff hi'n ddwy fil arnoch. Mae Cymru'n bell…'

Edrychodd arnaf, a'i lygaid bach fel ffa coch wedi'u pilio. Roedd e rhwng cwsg ac effro, a'r cwrw'n dal i gwrso yn ei waed. Aeth ei law i'w boced eto. Rhoes fil arall yn fy nwrn.

Ymhen deng munud roedd y bws wedi mynd a finnau ar fy mhen fy hunan bach ym mrith-olau'r wawr yn y cyntedd. Mi ges aros yn y theatr am ddim tan y bore wedyn a chwyrnu cysgu lond y gwely nes adfer digon o nerth i ymweld â Warsaw. Bûm yn bwrw fy mlinder ar lannau afon Vistula am ddeuddydd wedyn, yn synfyfyrio am bopeth oedd wedi digwydd. Dychwelais i Poznań y diwrnod cyn y ffleit i Lundain a ffonio cyn-aelod arall o'r grŵp.

'Beth, meddwi eto?' meddai hwnnw. 'Gad iddyn nhw. Wnest ti'r peth iawn. Dere draw am wyth ac fe gewn ni glonc bach.'

Fel arfer, dw i'n gyndyn i agor safnau diwaelod y *post-mortem*, a mil gwell gen i symud ymlaen na throi o gwmpas twll yn yr hewl. Ond y tro yma roedd eisiau dadwenwyno. A diolch i Przemek, dychwelais i Gymru yn dawel fy meddwl.

Roedd yr un peth wedi digwydd iddo fe ers llawer dydd, a byrdwn ei ymateb oedd bod hen bren yn tyfu'n gou.

'Wnei di mo'u newid,' meddai. 'Maen nhw wrthi ers ugain mlynedd. Meddwi a sobri bod yn ail. Mae'n wyrth eu bod nhw wedi bod cystal yn ddiweddar.'

Beirniadaeth hallt oedd honno, ond heb fod yn gwbl annheg.

Ac felly yr ymadewais â Gwlad Pwyl, gan sylweddoli na all un dyn ddiwygio popeth yn y byd, a chan ddeall bod cenedl y mae cawr yn sathru arni angen amser maith i ailfagu hunan-barch. Wythnos ar ôl i fi gyrraedd Aberystwyth, cyhoeddwyd fy hunangofiant, *Y Gwyddel: O Geredigion i Galway*. Pe bawn wedi mynd i ben yr *odyssey* cerddorol, nid yn y lansiad yn yr Orendy yn Aberystwyth y byddwn wedi bod, nac yn gwenu i gamerâu *Wedi Saith*, ond yn Ysbyty Bronglais wedi ymlâdd yn llwyr.

RHAN 2

Rwmania
gan Diarmuid Johnson

Paul Celan a Geraint Dyfnallt Owen

YN 1987 Y gwnaeth hanes Rwmania gyffwrdd â'm bywyd i gyntaf erioed. Mewn siop lyfrau yn ninas Derry – sef 'Y Deri' – yng Ngogledd Iwerddon yr oeddwn i, a tharo ar gyfrol o farddoniaeth gan fardd o'r enw Paul Celan. Cyfieithiad Saesneg o'r Almaeneg gwreiddiol oedd y llyfr. Roedd llais cryf yn y cerddi, a chyfrinachau tywyll, ond roedd eu cefndir yn anhysbys i fi. Flynyddoedd mawr wedyn, yn 2005, fe gyhoeddwyd *Czernowitz: Die Geschichte einer Untergegangenen Kulturmetropole*, sef hanes machlud dinas ddiwylliedig.

Heddiw, yn ne-orllewin yr Ukrain y mae Czernowitz, neu Chernivtsi, am y ffin â Rwmania. Bukovina yw enw'r ardal. Tan y Rhyfel Byd Cyntaf, fodd bynnag, roedd Bukovina yn perthyn i diriogaeth ymerodraeth Awstria-Hwngari, ac er mwyn diwyllio'r ffin a gwarchod congl bellaf yr ymerodraeth fe wnaeth llywodraeth Fienna feithrin cymuned Almaeneg ei hiaith yn Czernowitz. Roedd carfan o Iddewon eangfrydig ymhlith y sawl a symudodd i Bukovina yn chwarter olaf y bedwaredd ganrif ar bymtheg, a mab i un o'r teuluoedd hynny oedd Paul Celan, neu Paul Antschel â dyfynnu ei gyfenw gwreiddiol.

Magwyd Celan ar lannau afon Pruth, lle roedd Rwmaneg, Pwyleg, Almaeneg, Yiddish a Hebraeg yn rhan o gyfansoddiad ieithyddol y gymdeithas. Erbyn dechrau'r ugeinfed ganrif roedd Czernowitz yn fwrlwm o gyhoeddi, barddoni, croesbeillio diwylliannol a chymdeithasau athroniaeth a cherddoriaeth. Ond gyda daeargryn y Rhyfel Byd Cyntaf, chwalfa'r ymerodraeth a thwf totalitariaeth – Comiwnyddiaeth yn Rwsia ar y naill law a ffasgaeth yn Rwmania a'r Almaen ar y llall – daeth gwynfyd eangfrydig, lluosog a goddefgar Czernowitz a Bukovina i ben.

Ffoi fu hanes y llenorion. Neu geisio ffoi. Angau ddaeth i ran llawer un a'i deulu, naill ai yng ngwersylloedd y Comiwnyddion, am eu bod yn *bourgeois*, neu yng ngharchardai'r ffasgwyr, am eu bod yn Iddewon. Ymhlith y sawl y bu rhaid iddynt ymadael â'u cynefin am byth roedd Alfred Margul-Sperber (1898– 1967), gŵr fu'n briod â chwaer i Hermann Hesse, a'r beirdd Rose Englander, Klara Blum, Selma Meerbaum-Eisinger ac Alfred Gong. Magodd un o'r ffoaduriaid gysylltiad arbennig â Chymru. Herta Druckmann oedd ei henw...

Yng nghanol yr 1930au, roedd gŵr ifanc disglair o'r enw Geraint Dyfnallt Owen newydd dderbyn doethuriaeth mewn hanes oddi wrth brifysgol Aberystwyth. Prin oedd swyddi academaidd yn y cyfnod hwnnw, fodd bynnag, ac fe benodwyd yr hanesydd gan y BBC i weithio yn yr adran rhaglenni Cymraeg. Yn ystod y rhyfel, fe ymunodd Geraint Dyfnallt Owen ag adran wybodaeth y fyddin, a chael ei anfon i Rwmania. Yn Bukovina, fe gwrddodd â Herta Druckmann. Bu rhaid iddo ddychwelyd i Rwmania i'w chipio'n ddramatig o afael y Rwsiaid ar ddiwedd y rhyfel. Priododd y pâr yn y Barri yn fuan wedyn.

Yn 1951, fe gyhoeddodd Geraint Dyfnallt Owen lyfr manwl a dysgedig â'r teitl plaen *Rwmania*. Dyma ddiweddglo'r llyfr:

> Yn syml, y mae lluoedd arfog Rwmania, fel ei diwydiannau a'i hamaethyddiaeth, ei chyfraith a'i haddysg, a phob dim arall sy'n eiddo iddi, yn rhwym wrth olwynion cerbyd imperialaeth yr Undeb Sofietaidd.

Dyma fan cychwyn da i ddeall hanes diweddar Rwmania.

Weithiau, hanes personol sy'n siarad huotlaf. Cymerwn y bardd Sanda Stolojan er enghraifft. Mae ei hanes hi yn codi'r llen ar y gormes ddaeth i ran llenorion Rwmania ar ôl yr Ail

Ryfel Byd, pan sefydlwyd y drefn Gomiwnyddol yn y wlad. Clodfori eu llenorion y mae gwledydd rhyddfrydig yn ei wneud fel arfer, ond erlyn pawb oedd â gronyn o annibyniaeth yn eu gwaed oedd polisi'r Comiwnyddion yn y dwyrain.

Ar ôl y rhyfel, un o brosiectau'r llywodraeth er hwyluso cludo nwyddau trwm oedd gwneud camlas o afon Donaw (Danube) i'r Môr Du. Carcharwyd Sanda Stolojan oherwydd ei daliadau gwleidyddol gwrth-unbenaethol, a gorfodwyd ei gŵr i lafurio bâl ym mhâl â Rwmaniaid gwladgarol eraill i gwblhau'r gwaith dybryd hwnnw. Creulon oedd eu hachubiaeth hefyd, ond gwell na chlafychu a marw. Doedd dim arian gan y llywodraeth yn Rwmania ar ddechrau'r 1960au, felly gwerthwyd Sanda Stolojan a'i gŵr i gyfaill yn Ffrainc am 25,000 o ddoleri. Cael eu prynu a'u gwerthu, dyna sut y cafodd rhai o frodorion disgleiriaf y wlad ddihangfa.

Oherwydd ei dawn ieithyddol ragorol a'i gwybodaeth o'r iaith Ffrangeg, cafodd Sanda Stolojan ei phenodi yn gyfieithydd yn yr Élysée, sef palas arlywydd Ffrainc, a gweithio yno fel cyfieithydd i sawl arlywydd o gyfnod De Gaulle yn yr 1960au hyd at gyfnod Chirac yn negawd olaf y ganrif. Yn rhinwedd ei swydd, cafodd ddychwelyd i'w chynefin ar sawl achlysur. Ond alltudiaeth oedd ei thynged, ynghyd â nifer fawr o ffoaduriaid gwleidyddol eraill wnaeth ffurfio cymunedau Rwmaneg ym Mharis ac ym mhedwar ban byd.

Pan oeddwn yn golygu'r cylchgrawn ar-lein *Transcript* rhwng 2004 a 2006, fel rhan o brosiect Llenyddiaeth ar Draws Ffiniau, un o'r prosiectau Ewropeaidd y bu canolfan Mercator yn ei weinyddu ym mhrifysgol Aberystwyth, mi ffoniais Sanda Stolojan ym Mharis a chael siarad â hi am bum munud bach i ofyn am yr hawl i gyhoeddi un o'i cherddi yn y rhifyn Rwmaneg arbennig yr oeddwn yn ei baratoi. Llais addfwyn a dirodres oedd gyda hi, ond llais menyw gref a phenderfynol.

Cafodd y Rwmaniaid loches ym Mharis, ac yno y mae eu

beddau, gan gynnwys bedd Paul Celan. Ac yntau heb gyrraedd ei hanner cant, taflodd y bardd godidog hwnnw ei hunan oddi ar bont i ddyfroedd afon Seine. Doedd creithiau'r rhyfel ddim wedi gwella, nac ychwaith yr ing a deimlai wedi colli ei fam. Meddai Celan amdani: 'Y wen ei gwallt, hi ni ddaeth adref.'

Cafodd Sanda Stolojan fywyd dedwydd ym Mharis. Nid felly Ion Caraion, llenor o'r un genhedlaeth. Cafodd Caraion ei arestio yn 1950 ac fe'i hanfonwyd i lafurio ar y gamlas fawr. Cafodd ei ryddhau yn 1955, ond doedd nac arian na swydd na hawliau sifil gyda fe. Fe'i hailarestiwyd yn 1958, a threuliodd chwe mlynedd yn y gweithfeydd copr yn Cavnic ac yn Sprie. Fe gafodd loches wleidyddol yn y Swistir yn 1981 a marw yno yn gwbl unig a digymdeithas. Celan, Stolojan, Caraion. Tri llenor o fri a ddioddefodd yn enbyd oherwydd totalitariaeth yn Rwmania yn ail hanner yr ugeinfed ganrif.

Ond troi mae'r rhod, a daw tro ar fyd. Un diwrnod yn y brifysgol yn Poznań, yn y flwyddyn 2009, mi es i weld arddangosfa o luniau o Rwmania, a chwrdd â chymdeithas wnaeth fy arwain i galon un o'r diwylliannau mwyaf cyfoethog yn Ewrop, ond un sydd wedi cael ei anwybyddu ar gam. Yn fuan wedi gweld yr arddangosfa yn Poznań felly, dros ugain mlynedd wedi taro ar lyfr Paul Celan mewn siop lyfrau yn Iwerddon, ces gyfle i fynd i Rwmania.

Dilyn Afon Mureş tua'r De

MAE FFORDD Y mynydd o Alba Iulia i Gorj yn debyg i Fwlch Llanberis, dim ond ei bod yn fwy anial byth, ac mae gweld y creigiau mileinig ar hyd y dyffryn gwyllt yn gyrru ias trwy'r gwaed. Ond yn lle mynd mewn bws yr holl ffordd, mi ges gyfle i drafaelu gyda cheffyl a chart am ddiwrnod, a dyna oedd y ffordd orau i weld y wlad.

Rhyw bum milltir ar hugain oedd y daith, a chychwyn yn fore amdani. Eisteddai'r gyrrwr yn grwm ar y fainc flaen gan ddal yr awenau'n llac a'i drwyn rywle rhwng ei ysgwyddau a'i fogail. Dwmp-dwmpiai'r cart rhagddo dan wich-wichian. Dilyn Mureş yr oedd y lôn, afon sy'n ymdaflu i afon Donaw tua dau gan milltir i'r de. Tyfai'r goedwig yn wallt trwchus hyd at frig eithaf y bannau onglog, serth. Yng Nghymru, nid felly y mae. Mae'r mynyddoedd yn codi eu pennau moel yn uwch na mwclis gwyrdd yr ynn a'r deri. Wrth deithio nawr, clywn furmur yr afon, y ceffylau'n cyd-anadlu a siffrwd y dail crin wrth i awel yr hydref eu byseddu. Syllais i berfeddion y coed lle roedd yr eirth yn rhodio. Mae llechweddau lawer yn y parthau hyn lle na feiddia'r un heliwr herio'r drefn.

Petroşani yw'r dref fwyaf yn yr ardal. Glo sy'n gyfoeth iddi. Deuai'r Pwyliaid i ymuno â'r boblogaeth leol yn y pyllau ers llawer dydd, fel y deuai'r Gwyddel – a'r Sais – i Ferthyr Tudful yn y bedwaredd ganrif ar bymtheg. Ac ers yr hen amser gynt, mae'r afon wedi denu mwyngloddwyr yr oedd y dwymyn aur wedi cydio ynddynt. Roedd hi'n ddiwedd y prynhawn erbyn i fi gyrraedd y dref. Codai fflatiau di-raen yr olwg bob yn floc mawr llwyd ar y dde ac ar y chwith. Dyma'r elfen fwyaf amlwg o etifeddiaeth y cyfnod Comiwnyddol yn Rwmania.

Yn un o'r tai cynhenid yr oedd llety wedi'i drefnu i fi. Roedd y tŷ'n debyg ar sawl golwg i'r tai a geir mewn ardaloedd mynyddig yn y Swistir neu yn Awstria. To uchel, serth i ddygymod â'r eira mawr yn y gaeaf, a hwnnw'n ymestyn i lawr yn isel dros y ffenestri. Diben hynny yw gwneud i'r dŵr redeg i ffwrdd mor bell o'r tŷ â phosib wrth i'r eira doddi, rhag iddo wneud difrod a maeddu popeth. Mae'r to isel yn dod â chysgod hefyd pan fydd yr haul ar ei anterth.

Roedd cyntedd helaeth o flaen y drws. Tu fewn i'r tŷ, roedd man canol i gadw pethau pob dydd, yn gotiau a bŵts, a gwahanol fwydydd y mae eu hangen yn y gegin yn aml. Ar y naill law a'r llall i'r man canol hwn roedd drysau'n arwain at dair stafell. Stafelloedd byw-a-chysgu-yn-un oedd y rheini. Roedd ffwrn fawr tua chwe throedfedd o uchder ymhob un ohonynt. Byddai honno'n cynhesu'r stafell ar y diwrnod mwyaf gerwin yn y gaeaf, dim ond iddi gael ei llond o goed tân sych.

Go syml oedd y dodrefn yn y tŷ: mainc bren a dau neu dri chwrlid bras lliwgar wedi'u taro drosti. Gwnâi'r fainc y tro fel gwely gyda'r nos. Roedd seld neu gwpwrdd ym mhob stafell, a hyn a hyn o drugareddau ynddo: cwpanau pert, allwedd rhyw hen, hen gist, a chalendr. Cadair neu ddwy hefyd, a llun ar y wal: un o'r teulu, mam-gu efallai, neu ddelwedd grefyddol, Mair gan amlaf, a'r darlun yn eicon dwyreiniol. Pryd tywyll yw mam yr Iesu yn y delweddau hyn, coron aur am ei phen a'i gwisg yn dywyll ac yn raenus, nid yn las ac yn fursennaidd.

Y noswaith honno, o flaen tanllwyth o dân, mi ges dipyn o hanes y dref gan Marius Popu, gŵr y tŷ, a chynghorydd lleol. Siaradai Rwmaneg a Ffrangeg bob yn ail, heb anghofio fy niwallu â gwydreidiau poeth o'r ddiod gadarn. Y glo a'r aur oedd yn sail i'r hanes. Mentrais ofyn ai'r gair Lladin am garreg oedd wrth wraidd yr enw Petroşani. Beth bynnag am hynny, dechreuodd y cyfaill sôn yn frwd am ogof enfawr, Peştera Bolii, rhyw dair milltir o'r dref, cafn enfawr o le dan y mynydd, meddai fe, lle roedd olion hen gymdeithas dyn yn dyddio i'r pumed mileniwm Cyn Crist. Pan ofynnais iddo a allem ni ymweld â'r lle drannoeth, roedd e ar ben ei ddigon. Cyn pen dim, roedd y cynlluniau wedi'u gwneud.

Bore trannoeth, aethom i weld yr ogof. Roedd dau fachgen arall o'r cylch yn gwmni inni. Mewn dim o dro, safem yng ngenau'r ogof ar lan afon fas a chroyw. Gwelais las y dorlan yn gwibio i ffwrdd wrth inni ddarfod ar y llonyddwch ger ei hoff bwll. Tuag ugain troedfedd sydd rhwng y ffrwd a'r porth naturiol uchel sy'n fynedfa i ogof Bolii. Wrth fôn y graig mae'r fynedfa. I mewn â ni gan ddilyn y llwybr. Llifai'r afon yn swnllyd trwy'r cafnau enfawr.

Tu fewn i'r gragen, ymagorai'r ogof fel neuadd wych. Roedd y ddau fachgen lleol wedi dod â ffaglau i oleuo'r düwch tanddaearol. Clywn oglau petrol. Wrth i'r fflamau gydio yn y clytiau, llamodd cant a mil o gysgodion ar draws y graig, ac fe welwn nenfwd calchfaen yn troelli ac yn trawsffurfio uwch fy mhen yn siapiau amrywiol a direidus. Roedd ystlysau'r ogof yn llyfn fel drych wedi gwaith llifogydd di-baid ers miliwn o flynyddoedd. Gwelwn y llif yn gymharol isel heddiw. Wedi treiddio i galon yr ogof, fe groeson ni'r rhyd.

Erbyn hyn, roedd yr awyr laith uwch ein pennau yn ferw o ystlumod wedi'u dihuno gan y ffaglau.

'O'dd rhyw bobol wedi bod yn crasu bwyd fan hyn,' meddai Marius.

Fe ddangosodd dameitiach o esgyrn i fi.

'Carw,' meddai, a honni eu bod 'yn hen iawn'.

Tua thri chan llath ymhellach ymlaen, fe welwn smotyn bach golau yn y tywyllwch. Golau dydd. Roedd nenfwd yr ogof yn gwasgu'n is, is bob cam. Gweld yr afon wedyn dafliad carreg oddi wrthym yn brysio allan o'r ogof i'r heulwen. Troi'n ôl oedd piau hi nawr, a'i chychwyn adref. Ces gyfle i orffwys weddill y diwrnod. Y deheubarth oedd y nod nesaf. Yfory. Oltenia. Wallachia. Ond digon i'r dydd ei ddrwg – a'i dda – ei hun.

Dyffryn Remeț

WELAIS I ERIOED dai fel y tai a welais yn Geoagiu de Sus. Yn nyffryn Remeț, tuag ugain milltir o dref Alba Iulia, ym mynyddoedd Apuseni y mae'r pentref hwnnw. Dyna lle y treuliais i'r noson gyntaf ar ôl cyrraedd cefn gwlad Transylfania. Diwedd Medi oedd hi. Roedd y tywydd yn gynnes.

Gwesty pwrpasol dwy seren i gerddwyr oedd y Relais. Erbyn i fi gyrraedd, roedd y cwm yn magu cysgodion hir a'r gwyll yn gwau ei fantell ym mlaenau'r coed. Gwell fyddai aros tan y bore cyn mentro i ben y cwm. Agorais ffenest y stafell led y pen cyn mynd i'r cae nos. Roedd oglau'r cynhaeaf a'r crinwair yn pêr-hidlo trwy awel yr hwyr. Ambell i gi yn cyfarth. Ac – unwaith – modur yn chwyrnellu trwy'r cwm, a goleuadau car yn fflachio.

Deupeth a glywais erbyn deffro: morthwyl yn cnac-cnocan ar ystyllod pren (rhaid bod gwaith adeiladu yn rhywle) ac wedyn clip-clopan carnau ceffyl ar yr heol. Edrychais mas trwy'r ffenest. Âi ceffyl a chart heibio, a llwyth o goed ar y cart. Eisteddai dyn mewn siwt ddu ar sedd y cart a hat urddasol ar ei ben. Roedd rhuban coch wedi'i glymu ar glust y ceffyl. Ymgollai'r clindarddach yn y pellter yn raddol fach.

Ar ôl brecwast, mentrais mas i ddyffryn hirgul Remeț. Codai'r graig ei bysedd cnotiog i'r cymylau bob ochor i'r lasnant. Roedd rhai o'r bobol wrthi yn y caeau eisoes yn manteisio ar naws y bore i wneud eu gwaith cyn i oriau swrth y prynhawn ddisgyn ar y maes. Ym mhen uchaf y cwm, wedi cerdded am tuag awr, mi ddes o hyd i'r hen dai to gwellt yr oeddwn wedi clywed sôn amdanynt. Tai pren ydynt, a tho hynod uchel arnynt, afresymol o uchel bron – fel penwisg esgob. Roedd rhai o'r tai yn wag ac yn eithaf gwael eu cyflwr, ond roedd mwy nag un yn dal yn gartrefi i'r tyddynwyr. Ai tyfu o'r pridd yr oedd y tai? Tyfu fel hen fawnog yr oedd y toeau.

Roedd dyn yn y buarth yn hogi pladur. Mi godais law arno a'i gyfarch.

'Bună ziua!'

Aeth hi'n damaid o sgwrs led anghyfiaith rhyngom.

'Pladur,' meddwn i, a phwyntio at y teclyn.

'Pladur,' meddai'r dyn dan wenu yn dridant mawr.

'Cum se spune pe româneşte?' meddwn i gan holi am y gair Rwmaneg.

'Kosa.'

'Kosa.'

Tynnais lun y cyfaill. Ychydig yn nes lan y cwm, gwelais fenyw yn cario pwn o wair ar ei chefn. Cerddai dros hen bompren droedfedd o led a'r nant yn slwshan oddi tani. Roedd tyrcwn duon yn pori ar y lan a'u glasog yn goch, goch, goch.

Lladd gwair yr oedd tyddynwyr Geoagiu de Sus heddiw, lladd gwair a hel eirin. Roedd y coed eirin yn ffynnu yn y cwm a'r ffrwyth yn lliw porffor aeddfed. Gwelais ambell i gangen yn plygu hyd at y llawr dan bwysau'r cnwd. Ledled y wlad mae'r bobol yn distyllu'r sudd i wneud diod gadarn o'r enw *ţzuika*. Mae'r *ţzuika* yn cadw'r annwyd draw yn ystod y gaeaf, yn lleddfu cryd y cymalau, medden nhw, ac yn cael ei rwbio i'r croen weithiau pan gaiff rhywun bigiad cas. Pan fydd hi'n rhew mawr, cynhesir peth ohono ar y ffwrn, a'i yfed ar ei dalcen gyda phinsiad o bupur.

Erbyn hyn roedd y cwm yn prysur gulhau a'r llwybr yn ddim ond stribyn anwastad ar hyd y geulan. Darfod yn y rhyd fu ei hanes wedyn. Cerddais yn fy mlaen gan afael yn y graig, ac wedyn cerdded yn y ffrwd hyd at fy mhengliniau. Roedd dŵr y mynydd yn iasoer. Gwelwn raeadr bellach yn llamu fel caseg wen yn y bwlch. A throi'n ôl. Yn y cae ar bwys yr hen dai lle dysgais y gair Rwmaneg am bladur – *kosa* – roedd gŵr a gwraig yn gorffwys ar eu hyd ar bwys mwdwl gwair. *Siesta*.

Yng Nghymru, mae adfeilion hen fynachlogydd ac abatai yn britho'r wlad: Ystrad Fflur, Llanddewi Nant Hodni, Tyndyrn, Talyllychau – tystion mud i'r oes a fu. Yn Rwmania, parhau byth mae traddodiad y gymuned hunangynhaliol, eglwysig ymhell o fasnach ac o faswedd y byd. Mae un o'r canolfannau hyn, mynachlog enwog iawn, yn nyffryn Remeţ. Mae yno berllan, a chychod gwenyn. Mae'r chwiorydd sy'n dilyn eu gyrfa ddiwair yno yn gwau ac yn gwneud tapestrïau. Mae graen ar y gerddi mân wrth fôn y graig.

Yr eglwys yw canolbwynt y fynachlog. Does dim meinciau yn yr eglwysi uniongred. Sefyll mae'r praidd yn ystod y gwasanaeth, fel yr oedd hi'n arfer bod yn y gorllewin gynt. Mae'r offeren yn wasanaeth hir hefyd. Â'r offeiriad rhagddo yn llafarganu a'i farf yn crynu am awr, am ddwyawr, am dair. Mynd a dod mae'r bobol yn ystod y gwasanaeth. Byddai'r fath anhrefn yn gyrru gweinidogion adnod-gywir Cymru o'u cof. Ond treiglo o'r naill beth i'r llall mae'r ffyddloniaid yn niwylliant Byzantium, nid torri eu brethyn wrth y pwys â siswrn bras. Ymdreiglo o'r dwthwn hwn i'r byd nesaf ac yn ôl mae'r byw a'r meirw hefyd mewn lle fel hyn. Yn y ganhwyllfa ar bwys yr eglwys, mae'r cof am yr ymadawedig yn fflamau byw, a'r gwêr tawdd fel dagrau poeth yn llanw padell helaeth, fas.

Adeilad bas yw'r fynachlog ei hun hefyd. Dyma wahaniaeth sylfaenol rhwng pensaernïaeth ddwyfol yn y gorllewin Rhufeinig ac yn y dwyrain uniongred. Saethu tua'r nef mae eglwysi cadeiriol Cwlen (Köln), Reims, Coutances a La Sagrada Família yn Barcelona. Ymestyn, dyheu am ddyrchafiaeth ac am well byd, oherwydd yn y gorllewin

Cristnogol, gwael yw cyflwr dyn yn y bôn, gwael a thrallodus a phechadurus. Nid felly yn y dwyrain. Nid dyheu am ddyrchafiad mae'r enaid. Aros yn dawel y mae, aros am yr arglwydd, aros nes daw gras oddi fry i wobrwyo dyn am ei ymdrechion, nid i'w gosbi am ei ffaeleddau.

Mi glywais yn nyffryn Remeţ am arferion marw a galaru yn Rwmania. Hen offeiriad oedd wedi taro sgwrs â fi yn y fynachlog. Pethau fel hyn oedd gyda fe i'w dweud: bu farw hen fenyw o'r enw Izvora yn yr ardal. Ar ddiwrnod ei chladdu, aeth y cymdogion ati i gynnu deugain cannwyll a'u gosod ar yr afon. Gwylio'r goleuadau yn ymbellhau ar y ffrwd oedd eu ffordd o ffarwelio ag un o'u hanwyliaid. Mewn pentref arall yn yr un flwyddyn, roedd menyw wedi esgor ar fabi a fu farw cyn ei eni. Cynnu tân wnaeth y bobol, er mwyn dangos y ffordd i'r nefoedd i'r bychan, ac i gadw ei groen bach rhag oeri.

Wedi cyrraedd y gwesty, fe gasglais fy mhethau a gwneud am fynd.

'Mae'r bws wedi mynd,' meddai'r ferch yn flin.

'Beth? Mae chwarter awr arall gyda fi!'

'Weithiau mae'n mynd yn gynnar,' meddai hi.

Mae hen droeon fel hyn yn digwydd pan fydd dyn yn trafaelu. Gwell derbyn yr ergyd.

'Oes stafell gyda chi heno?'

'Oes.'

'Well i fi aros tan fory 'te.'

Ar y Ffordd –
66 Munud yn Budapest

YR AIL DRO i fi gyrraedd Budapest ar y ffordd yn ôl o Rwmania, doedd dim dŵr i'w yfed gyda fi, a doedd dim dŵr yn cael ei werthu ar y trên. Taith wyth awr oedd hi o Dransylfania: amser maith heb dorri syched. Roedd y trên ei hun yn un pum seren heblaw am y ffaith nad oedd bar na siop i'w cael. Roedd y coridor yn llydan, ac ochrau'r trên yn wydr i gyd fel y gellid gweld y maes a'r mynydd yn ymestyn i'r gorwel ar y ddwy ochor, yn ogystal â'r awyr las. Nodwedd arall o'r trên oedd y ffordd yr oedd y seddi wedi eu trefnu bob yn dair: dwy o flaen ei gilydd, ac un o'r neilltu i berson tal. Roedd hynny'n hyfryd iawn. Ond roedd pawb wedi anghofio am y dŵr.

Fe gyrhaeddon ni'r ffin rhwng Rwmania a Hwngari ganol y prynhawn. Daeth pedwar heddwas ar y trên. Roedd hi'n amlwg bod oedi'n mynd i fod. Allan â fi ar y platfform. Roeddwn i'n sefyll yng nghanol paith y Magyariaid, mewn gorsaf fach, rhyw Gyffordd Dyfi o le. Roedd hanner dwsin o dai ar bwys yr orsaf, fel cychod pysgota ar draeth enfawr. Ond siop ni welwn. Siop na bar. Mi holais y gweithiwr cyntaf a welais. Ac Almaeneg amdani:

'Wasser, wasser kaufen?' meddwn.

Cododd y dyn flaen ei gap ddigon i grafu ei ben yn fyfyrgar.

'Wasser,' meddwn i, a smalio yfed.

Tynnu ei gap yn dynnach am ei ben a mynegi ei hun yn huawdl yn ei iaith ei hun – Hwngareg – wnaeth y cyfaill.

'Pryd mae'r trên yn ailgychwyn?' meddwn i gan bwyntio at fy arddwrn ac at y trên bob yn ail.

Codi pum bys yn blaen iawn oedd ei ymateb.

'Fife, fife!' meddai.

Byddai pum munud yn ddigon i brynu dŵr ar y ffin rhwng Hwngari a Rwmania petai'r arian iawn gyda dyn. Ers llawer dydd, cyn oes yr ewro, byddai rhaid i'r trafaeliwr gadw'r ffranc, y *Deutschmark* a'r *lira* yn ei boced ar ei daith trwy orllewin y cyfandir. Felly y mae eto yn y dwyrain. Mi dynnais fy waled mas o'm poced. Roedd llond dwrn o arian Rwmania – y *leu* – yn gymysg â darnau mawr o arian Hwngari gyda fi yn rhan o'm cyfoeth. Tair mil *florin*, sef deuddeg punt. Mi ddes o hyd i siop fach ac o fewn pum munud roeddwn i yn ôl ar y trên yn prysur dorri fy syched. Toc wedi inni ailgychwyn i gyfeiriad Budapest, trodd y paith o'n cwmpas yn fôr o flodau'r haul, can mil erw o flodau'r haul yn benllanw gorfelyn yn mud-wenu ac yn gweddïo yng ngwres ffrwythlon y prynhawn.

Ond pur anaml y caiff dyn fod yn dawel ei feddwl. Poeni am syched y bues i drwy'r bore. Gresynwn yn awr y byddwn yn colli'r trên o Budapest i Brag. Yn ôl yr amserlen oedd gyda fi, dim ond naw munud oedd rhwng y ddau drên, hwn a'r nesaf. Ond ofer mynd i gwrdd â gofid. Wedi cyrraedd Budapest, mi neidiais oddi ar y trên a rhuthro i lawr y platfform i gael gwybod a oeddwn i mewn pryd. A gweld yr hysbysfwrdd: y trên i Brag ddeugain munud yn hwyr. Dyna beth oedd rhyddhad. A dyna'r union eiliad y clywais y bola'n galw, ac yn sydyn iawn teimlo'n wan eisiau bwyd.

Mae stafell fwyta yn y stesion yn Budapest fyddai'n amgueddfa yn y wlad hon, neu'n *château* enwog yn Ffrainc, neu'n balas i ryw iarll yn Lloegr. Safai gweinydd bonheddig a chywir iawn yn y drws i groesawu'r cwsmeriaid. Gwisgai grys porffor a chot fach ddu. Fe'm harweiniodd at un o'r bordydd. Roedd nenfwd eglwysig o uchel yn y stafell wych. Marmor oedd y llawr. Hongiai sawl drych anferth ar y waliau a fframiau aur amdanynt.

'Goulash!' meddwn i wedi cael cip ar y fwydlen.

Mi ddes i ben â'r platiaid mewn fawr o dro, a gofyn am yr un peth eto. Rhaid mai *paprika* ffres Budapest oedd wedi rhoi blas ar yr enllyn, achos roedd y pryd yn fendigedig. 'Bolgi mawr,' meddwn wrth fy hunan, a gwenu wrth gofio un o ymadroddion cartrefol Ceredigion. Pan ddeuthum allan o'r palas bwyta, roedd neges ar yr amserlen yn dweud bod y trên wedi oedi ychydig yn fwy na'r disgwyl. Roedd gen i hanner awr eto.

Mae gorsafoedd trên yn debyg i byllau nofio. Lonydd syth ochor yn ochor, a dyn â chwiban yn barod i chwythu er mwyn dechrau'r ras. Eto i gyd, nid dyn chwiban a chap oedd ar ben pob lôn yng ngorsaf Budapest, ond pencampwyr gwyddbwyll yn cynnig chwarae gyda'r teithwyr am hyn a hyn o arian. 'Gwyddbwyll!' meddwn i wrth fy hun. 'Mae gen i hanner awr sbo.'

Dyn tal, clamp o hat Stetson am ei ben a'i fwstásh fel cwt gwiwer a safai nesaf ataf. Roedd y werin wyddbwyll yn barod gyda fe, ac fe ddangosodd gledr ei law imi i'm gwahodd.

'Non habeo pecunia,' meddwn (er fy mod i byth yn siarad Lladin fel arall), gwneud yr arwyddion priodol 'sori-does-dim-arian-gyda-fi' ac ychwanegu yn Saesneg Llanwenog, 'Ai dw not haf eni myni.'

Rhaid bod y *cameo* wedi plesio Charlton Heston, neu efallai mai pallu credu bod dim arian gyda fi yr oedd e, ond roedd ei ddymuniad yn dal yn amlwg. Agorais fy mhwrs ac arllwys rhyw arianach brith, rhyngwladol i'r ddysgl fach bren. Talu am wasanaeth yr oeddwn i, nid betio, a chadw'r arian yn dâl fyddai'r dyn, beth bynnag fyddai canlyniad y chwarae. Gweddw camp heb ei dawn oedd hi, yn anffodus, a buan iawn y trechwyd y Cymro ar faes gwyddbwyll Budapest y diwrnod hwnnw. Ond o leiaf yr oeddwn i wedi cael gwared â phwys a

Adeg Calan Gaeaf, mae'r Pwyliaid yn cynnu canhwyllau ar feddau eu hanwyliaid, ac mae'r teuluoedd yn ymgynnull yn y mynwentydd i gofio'r meirw.

Pan ddaw'r eira i Poznań, mae hwyl fawr i'w chael ar y llethrau serth ar bwys y fflatiau poblog.

Ar Ddydd Gŵyl Martin, 11 Tachwedd, sef diwrnod cenedlaethol Gwlad Pwyl, mae pawb yn Poznań yn tyrru i ganol y ddinas i fwyta *rogale*, sef cacen arbennig siâp *croissant*, ac i wylio'r orymdaith.

Dim ond ychydig o gerddoriaeth draddodiadol sydd ar ôl yng Ngwlad Pwyl, ond mae partïon gwerin yn lled boblogaidd yno.

Daw'r hen gyfeillion i lan yr afon ar dywydd teg i gael clonc ac i gadw cwmni i'w gilydd.

Dyma'r dosbarth Cymraeg wnaeth raddio yn 2010 – y graddedigion Celtaidd cyntaf ym mhrifysgol Poznań.

Diarmuid yn chwarae'r ffliwt.
Llun: Bruce Cardwell

Un o'r *dubaşi* – cyn cychwyn yr ymdaith. Sylwch ar y wisg wlân.

Menyw yn gwylio'r *dubaşi* o flaen ei thŷ ym mhentref Orlea ger dinas Deva. Nodwch y 'pared' pren uchel – a'r ffedog werdd!

Y *dubaşi* yn 'clera' yn Alma Salişte ar 26 Rhagfyr 2010.

Tyddynnwr yn cynnig y ddiod gadarn i'r *dubaşi* yn Alma Salişte.

Yr eglwys bren ym mhentref Alma Salişte, de Transylfania, Rwmania.

Merch ifanc yn Sebeş, ger Alba Iulia, pentref genedigol y bardd Lucian Blaga.

Y *nouria* yw enw'r rhod bren sy'n mynd â dŵr o'r afon i'r meysydd. Dyma ddwy *nouria* ar afon Orontes yn ninas Hama, Syria.

Brethyn bras, anodd ei dreulio yr oedd crefftwyr Hama yn arfer ei wneud. Mae'r modd y gwneir yr inc du yn gyfrinach goll.

Plant direidus yn un o lonydd cefn Damascus. Beth fu eu tynged wedyn o dan y bomiau tybed?

Un o ddefodau beunyddiol y Dwyrain Canol yw cael te a sgwrs. Magwyd yr un arfer yng Nghymru, wrth gwrs!

Mae'r *oud* yn hen offeryn cerdd. 'Lute' yw'r ffurf Saesneg ar y gair.

Gwragedd ifainc a rhai o'u plant: anaml y daw cyfle i gymdeithasu â merched Syria a phob gwlad Arabaidd.

Y ferch fach wybodus fu'n tywys Amanda yn Sana'a, prifddinas Yemen.

Gweithwyr yn gwneud briciau adeiladu â phridd yn Hadhramaut, Yemen.

Y 'Doctor Ali' yn cynhesu crempog ar y marwydos gyda'r wawr yn y diffeithwch yn ardal Rub' al Khali, Yemen.

Amanda yng nghwmni Yemeniaid ifainc yn y diffeithwch yn ardal Rub' al Khali.

Crefftwyr yn gwneud gwely yn ardal Mocha yn nwyrain Yemen. Dyma'r ddinas y mae math arbennig o goffi yn dwyn ei henw.

hanner o arian mân diwerth, a threulio chwarter awr ddifyr. Mynnais gip arall ar yr hysbysfwrdd. Byddai'r trên i Brag yn cychwyn mewn deng munud.

Wrth dwrio yn fy mhoced i wneud yn siŵr bod fy nhocyn a'm pasport yn saff, mi ddes o hyd i bapur 500 *florin* yn amddifad ym mhlygion y dogfennau pwysig. Gwerth ceiniogau oedd hynny. Fel mae'n digwydd, ar bwys y *Bureau de Change* yr oeddwn wedi sylwi ar stondin oedd yn gwerthu *baklava*. Cacen draddodiadol o'r Dwyrain Canol yw *baklava*, un a werthir yng Nghymru hefyd erbyn hyn, y toes yn denau fel papur, cnau mân wedi'u malu a'u rhostio tu fewn iddi a mêl yn diferu drosti. Mae'n cael ei phobi ar blât helaeth maint hambwrdd, a'i thorri a'i gwerthu wedyn yn ddarnau bach. Roedd 500 *florin* yn ddigon i brynu dau ddarn. Ac roedd deng munud yn hen ddigon i wneud hynny.

Wrth i'r dyn chwiban-a-chap chwythu nerth ei fochau i ddechrau'r ras i Brag, a'r trên yn plwcan wrth i'r injan gydio ynddo, sylwais ar y cloc a gweld fy mod i wedi treulio chwe munud a thrigain – sef chwe deg chwech munud yn iaith ysgolion y De – yng ngorsaf Budapest ar 17 Medi 2010. Trawais y wybodaeth honno yn gofnod byr yn fy nyddiadur. Prag amdani nawr. Roeddwn i wedi trefnu gwneud rhaglen radio yno gyda chyfaill o'r enw David Vaughan am agweddau ar lenyddiaeth Gymraeg.

Yn ôl yr hyn a welwn, roedd dŵr yn cael ei werthu ar y trên. Rhaid mai'r *paprika* ffres oedd hi, neu'r ail blatiaid o'r *goulash* gorau yn y byd efallai, ond cyn pen dim roeddwn i'n cysgu'n braf unwaith eto.

Ffliwt Bren o'r Mynydd

DYCHMYGWCH BENTREF AR y bryndir yng nghalon Rwmania. Mae'r eira'n toddi'n swnllyd ar ôl y gaeaf. Chwyddo yn ffrwd chwyrn mae'r nant. Mae hi'n fore miniog a'r haul heb fagu nerth. Dacw ddyn yn hollti pren â bwyell drom. Mae adlais yr ergydion pwyllog yn darfod ym mynwes y mynydd. Ar bwys y dyn, ci blewog llygadfyw yn ffroeni'r awel. Enw'r pentref yw Pui.

Heddiw, mae neges arbennig gydag un o ddynion y pentref. Mae'n ymwisgo at y daith. Ffon braff yn ei ddwrn. Hat ddu ar ei gorun yn y dull traddodiadol. Cot fach o frethyn cartref amdano a gwregys i'w chlymu. Mae wedi iro peth gwêr dros ei sgidiau. Dyma fe'n codi pecyn a'i daro ar ei gefn. Ysgafn yw'r pecyn ac iddo siâp hirfain tua llathen o hyd. Mae lliain bras wedi'i lapio amdano, a honno wedi'i rhwymo â chortyn. Beth sydd yn y pecyn? Ffliwt yw hi. Ffliwt bren. Ond ble mae'r dyn yn mynd, a beth yw hanes yr offeryn?

Pan oedd Wallachia, sef de Rwmania, yn rhan o ymerodraeth y Twrc, a Moldova, sef gogledd Rwmania, yn rhan o ymerodraeth Awstria, fe blannodd tad-cu Bogdan Ileanescu goeden eirin ym mhentref Pui. Pren meddal yw'r eirinen, a'i oglau'n bersawrus. Mae'n bwrw gwreiddiau lle bo digon o gysgod a heulwen. Bwrw gwreiddyn wnaeth y goeden a blannodd tad-cu Bogdan. Unwaith y flwyddyn ers hanner canrif a mwy, mae'r pentrefwyr yn hel y ffrwythau o'i cheinciau llwythog. Unwaith y flwyddyn maen nhw'n tocio blaen y canghennau. Ond dim ond unwaith erioed y gwnaed ffliwt â'r pren. Tad Bogdan a dorrodd y gainc. Fe'i torrodd pan oedd crysau duon a chrysau brown yn cael eu gwisgo a'u golchi ar draws Ewrop. Ond ar fynyddoedd Carpathia, dim ond crysau gwynion sydd, coeden eirin a ffliwt yn atseinio ar hirddydd haf.

Draga Nesc oedd enw'r dyn wnaeth y ffliwt. Bugail oedd Draga. Roedd yn arfer chwarae mewn priodasau ac yn y ffair. Roedd yn arfer chwarae ar y mynydd. Naddu'r tyllau â chyllell wnaeth e, cyllell boced a'i charn yn gorn maharen. Fe aeth i'r efail gyda'r nos, a gwneud tri stribyn bach metel i addurno'r ffliwt. Pan oedd y tân yn wynias a'r metel yn dechrau toddi, fe fwriodd batrwm pert ar y tri darn, eu taro mewn dŵr oer a'u gosod yn dwt ar yr offeryn.

Mae Bogdan Ileanescu yn cychwyn erbyn hyn. Dewch i'w ddilyn ar hyd y ffordd o bentref Pui i Petroşani. Cychwyn mae'r dyn, ond pam mae'n mynd â ffliwt gyda fe, ffliwt wedi'i gwneud o gainc o goeden ei dad-cu? Pam mae'n mynd â hi i lawr i'r cwm ar ddiwrnod o wanwyn a'r eira'n dadleth yn swnllyd? Mae'r ffliwt yn fud ers llawer dydd. Dyw hi ddim wedi canu ers deugain mlynedd. Mae pry copyn wedi gwneud gwe ynddi. Mae'r graig wedi hen anghofio ei llais. Mae'r hen goeden eirin yn hael ei ffrwyth eto, ond mae sain y gainc wedi darfod.

Cerdded i lawr o'r mynydd i Petroşani wnaeth Bogdan Ileanescu. Dri mis ar ôl hynny, des innau dros y mynydd hefyd. Ond mewn car yr oeddwn i. Dyna'r daith fwyaf brawychus dw i wedi'i gwneud mewn car erioed. Wrth lwc, nid fi oedd yn gyrru. Trwy fwlch Urdele dros fynyddoedd Parâng ar heol y *Transalpina* yr oedd y daith. Deugain milltir go lew. Ugain milltir lan y mynydd ac ugain milltir i lawr yr ochor draw. Mae pob hen ddelwedd yn ddisgrifiad priodol o'r heol arallfydol, arswydus hon. Neidr yn ymnadreddu. Troeon pedol un ar ôl y llall yn ribidirês ddi-ben-draw. Edau droellog, cryman, hen sarn igam-ogam. Mae copa'r mynydd dros saith mil o droedfeddi uwchben y môr – mwy na dwywaith yn uwch na'r Wyddfa – a'r ffordd yn mynd drosto bob cam. Ond dal ar ei hanner yr oedd hi'r flwyddyn yr es i drosti. Doedd dim canllawiau, dim byd i atal y car rhag plymio i'r dyfnderoedd, dim arwyddion, dim marciau ar y tarmacadam ffres. Dim ond y dibyn, a'r niwl a heol agored. Mi es yn benwan, a theimlo gwasgfa yn fy mherfedd.

Cyrhaeddon ni ben y daith yn saff, serch hynny, ac yr oedd disgwyl mawr amdanom yn y tŷ. Ar ôl swper brenhinol a digon o win, ac wedi cael hanes y daith, fe gododd gwraig y tŷ ac estyn am rywbeth oddi ar ben y cwpwrdd. Lliain wedi'i rwymo â chortyn. Gosododd y pecyn ar y ford o'm blaen.

'I chi,' meddai. 'Agorwch e.'

Mi es ati i ddatod y cwlwm a dad-wneud y pecyn. Gorweddai ffliwt bren ar y lliain, hen ffliwt, lliw rhuddgoch tywyll iddi, a thri darn o fetel wedi'u gosod yn dwt yn addurn arni.

'I chi.'

Ac adroddodd fel yr oedd dyn o bentref Pui wedi cerdded am bedair awr ar fore miniog o wanwyn, ffon braff yn ei ddwrn, hat ddu ar ei gorun yn y dull traddodiadol, cot fach o frethyn cartref am ei ganol a rhywbeth ar ei gefn. Aeth rhyw gryndod trwof. Roedd fy nhafod wedi troi'n uwd.

'Dw i eisiau diolch iddo fe,' meddwn o'r diwedd. 'Oes ffôn gyda fe?'

'Mae ffôn gyda'i chwaer, gwlei.'

'Gawn ni ffonio nawr?'

'Pam lai!'

Llais mwyn, diymhongar oedd ar y pen arall. Dim ond tipyn bach o Rwmaneg dw i'n ei fedru. Ond geiriau llawn arddeliad oedd fy niolch.

'Va mulţumesc foarte mult. Flautul este frumos.'

Diolch yn fawr iawn i chi. Mae'r ffliwt yn fendigedig.

Mae cerddor yn cofio wynebau, a lleisiau. Wynebau a

lleisiau sy'n aros yn y cof ynghlwm â'r gerddoriaeth. Welais i ddim o wyneb y dyn ddaeth â'r ffliwt i fi, ac ni allaf na chofio nac anghofio llais na chlywais mohono. Ond gwelaf y dyn nawr a haul y bore yn arllwys drosto ar y mynydd. Ffon braff yn ei ddwrn. Hat ddu ar ei gorun yn y dull traddodiadol, cot fach o frethyn cartref am ei ganol a chainc ar ei gefn. Mae'r gainc honno gyda fi nawr, cainc wedi'i thorri o goeden eirin a blannodd ei dad-cu pan oedd crysau duon yn cael eu gwisgo a'u golchi ar draws Ewrop. Rhoi o etifeddiaeth y teulu er mwyn i'r gerddoriaeth gael parhad. Dyna haelioni mawr pentrefwyr Pui a thrigolion Petroşani.

Transylfania, Rhagfyr 2010 –
Y *Dubaşi* a'r *Colinde*

ADEG Y NADOLIG yn 2010, fe dreulion ni bum diwrnod yn ardal Arad, de Transylfania, yn hel hen ganeuon gwerin. Roedd tîm bach o ethnograffwyr dan arweiniad Dr Bogdan Neagadou wedi ein gwahodd i ymuno â'r ymgyrch. Roedd eisiau help llaw ar y tîm yn un peth, ond ar wahân i hynny, roedd cael cwmni arbenigwyr eraill ym maes iaith a diwylliant yn gyfle iddynt ddysgu am fyd pellennig Cymru ac Iwerddon.

Bob blwyddyn, yn ystod y tridiau sy'n dechrau ar Noswyl Nadolig, mae partïon cerdd a dawns yn hel tai a chalennig mewn sawl ardal yn Rwmania, pob un yn ei blwyf ei hun. Y *dubaşi* yw enw'r partïon hyn. Dod o hyd i'r *dubaşi* wrth eu harferion yng nghalon mynydd-dir Arad, a'u dilyn o aelwyd i aelwyd gyda chamerâu ac offer sain, dyna oedd cynllun y tîm.

'Tabwrdd' neu 'drwm' sydd wrth wraidd y gair *dubaşi*, a 'bechgyn y drymiau bach' yw ystyr y gair yn fanwl gywir. Ond dynion ifainc heb briodi sy'n arfer cario drwm yn ystod yr ŵyl, felly mae'r gair wedi magu'r ystyr 'llanc dibriod'. Rhwng pymtheg a thua phump ar hugain yw oed y *dubaşi*. Dyma'r genhedlaeth y mae disgwyl iddynt ddewis cymar yn fuan, a phriodi, a chymryd cyfrifoldeb am fywyd y plwyf a'r pentref yn y pen draw. Yn ystod y Nadolig felly, mae'r dynion ifainc yn mynd o amgylch y pentref yn firi ac yn rhialtwch i gyd, yn mynd i mewn i'r tai a dangos eu harddeliad a'u gwrhydri gan ganu, dawnsio gyda'r merched ac yfed a dathlu, ond heb dramgwyddo neb na thynnu gwarth ar eu teuluoedd.

Roedd nod arbennig gan y tîm ymchwil, sef recordio cymaint â phosib o'r gwahanol ddefodau a'r caneuon ar ffurf sain a ffilm. Byddai'r defnydd yn sail i ateb nifer o gwestiynau am gyflwr y traddodiad. Pa ganeuon y mae'r bobol yn dal i'w canu? Ydy'r traddodiad yn dal ei dir, yn cryfhau, yn edwino? Ym mha ffordd y mae'r traddodiad wedi datblygu o'i gymharu â'r amser gynt?

Enw'r caneuon sy'n cael eu canu gan y *dubaşi* yn ystod gŵyl y Nadolig yw *colinde*. 'Caneuon pen tymor' neu 'pen y flwyddyn' yw ystyr hynny yn wreiddiol, a dyna'i ystyr hyd heddiw. Yn ne Transylfania, mae traddodiad y *colinde* yn cael ei arfer ers cyn cof. Caneuon go faith ydyn nhw, a rhai ohonynt yn adrodd hanes. Yn hynny o beth, mae lle i'w cymharu â'r baledi yn y gorllewin. Mae'r parti yn canu yn unsain a'r alawon yn eithaf syml – un nodwedd o'r canu torfol, gwerin neu beidio.

Nid caneuon neu garolau Nadolig fel y cyfryw yw'r *colinde*. Nid adrodd hanes geni'r Iesu maen nhw, fel caneuon plygain y Gymraeg, er enghraifft. Ond, fel mae'n digwydd, ar ddiwedd y flwyddyn y mae'r Nadolig yn cael ei ddathlu, a hithau'n nesáu at Nos Galan. Yr un peth yn y bôn yw Calan a *colinde*. Gan fod wythnos y Nadolig yn gyfnod o wyliau yn Rwmania, yn wahanol i wledydd uniongred eraill, lle mae'r Nadolig yn cael ei ddathlu ym mis Ionawr, mae'r to ifanc yn dychwelyd o'r colegau a rhai o'r oedolion yn dychwelyd o Fwcarést a'r gweithwyr alltud yn dychwelyd o Ffrainc a'r Eidal, a phawb yn ymgynnull gartref yn yr hen bentref i ddathlu ac i gyfannu cylch y flwyddyn.

Yn hytrach na choffáu genedigaeth yr Iesu, sôn yn benodol am y gymdeithas ac am aelodau'r gymdeithas a'u statws y mae llawer o'r *colinde*. Dyma rai enghreifftiau: 'Cân y Ferch Ifanc', 'Cân y Cariadon', 'Cân yr Hen Lanc', 'Cân y Brawd a'r Chwaer'. Mae rhai ohonynt yn dathlu campau arbennig, megis

'Cân yr Heliwr'. Canmol crefft neu alwedigaeth arbennig y mae eraill o'r *colinde*, fel 'Cân y Bugail'. Mae rhai'n hynafol iawn eu thema: 'Cân y Llew', er enghraifft. Un cwestiwn i'r tîm ymchwil oedd hwn: a oes caneuon sydd wedi mynd yn angof, neu sydd ddim yn cael eu harfer rhagor? A chwestiwn hanfodol arall: a oes caneuon na recordiwyd ac na chasglwyd mohonynt o'r blaen?

Y Nadolig ym Mhentref Orlea

Ar ben y stryd fawr yng Nghaer, am y ffin â Chymru, mae arwydd i dwristiaid, ac ar yr arwydd hwnnw mae'r gair 'Deva'. Gair Rhufeinig am 'gaer' oedd 'deva'. Deva hefyd yw enw'r ddinas yn ne Transylfania lle roedd gofyn inni fynd i gysgu ar Noswyl Nadolig 2010 cyn dechrau'r ymgyrch recordio yn y mynyddoedd cyfagos.

Y noson cynt, a phopeth yn ei le i fod, fe dorrodd y goleuadau yng nghar Bogdan. (Roedd car arall gyda fe, un go fawr, ond roedd y gwres wedi torri yn hwnnw.) Am wyth o'r gloch y nos, fe aeth Bogdan i guro ar ddrws dyn y garej, esbonio'r sefyllfa ac ymbil arno i gael cip ar y weiars: efallai mai rhywbeth bach oedd o'i le. Roedd hi'n ddau o'r gloch arno yn dod yn ôl i'r tŷ, a ninnau wedi hen glwydo, heb glywed dim yn y cyfamser ac yn gobeithio bod dim byd cas wedi digwydd. Bore trannoeth, roedd Bogdan ar ei draed o'n blaen ni.

'Mae popeth yn iawn. Cawn ni gychwyn tua hanner dydd.'

Rhwng y naill beth a'r llall, aeth hi'n hanner awr wedi dau arnom. Ond cychwyn fu o'r diwedd.

Gwaith tair awr oedd hi o Cluj i Deva. Mae heolydd da yn Rwmania erbyn hyn, a hynny yn sgil buddsoddi hael yn y rhwydwaith ar ran yr Undeb Ewropeaidd ers i Rwmania ddod yn aelod o'r Undeb yn 2007. Ond er bod yr heolydd yn ddigon derbyniol, nid oes digon ohonynt i ddygymod â'r traffig. Heolydd dwy lôn yw'r rhan fwyaf ohonynt, ac ar daith hir, prin iawn yw'r cyfle i oddiweddyd ceir eraill. Mae llawer iawn o'r bobol yn gyrru ar ras wyllt, ac roedd hi'n berygl bywyd bob milltir o'r ffordd y diwrnod hwnnw. Wrth lwc, roedd hi'n sych, ond wrth iddi ddechrau nosi roedd yr amgylchiadau yn bur wael. Gwelsom geir yn cael eu tynnu o'r ffos sawl gwaith cyn cyrraedd pen y daith. Ond un pwyllog iawn oedd Bogdan wrth yr olwyn, a'r ffaith bod tramorwyr yn gwmni iddo yn gwneud iddo fod yn fwy gofalus byth efallai. Bob hyn a hyn, gwaeddai ar dop ei lais, 'crétin', 'idiot' a phethau felly wrth i gar arall wibio heibio inni yn ddienaid (Ffrangeg yr oeddem ni'n ei siarad â'n gilydd).

Yn ystod y daith, gwelsom fugeiliaid ar y maes gwastad, digorlan. Delwedd Feiblaidd: dyn a ffon fawr yn ei ddwrn, croen dafad dros ei ben a'i ysgwyddau i'w warchod rhag y tywydd, ci anferth, cysglyd wrth ei sawdl a'i braidd yn pori yn oes oesoedd ger ei fron. 'Deva 25' meddai'r arwydd nawr. Roedd rhaid croesi'r ddinas oherwydd i'r de yr oedd llety wedi ei drefnu inni. Aeth tair awr yn bedair, a phedair yn bedair a hanner erbyn dadlwytho'r cerbyd. Ond roedd y llety yn gyffyrddus iawn. Hen ddigon o le i bawb, a'r stafelloedd yn gynnes braf.

'Dyn ni'n lwcus,' meddai Bogdan.

Am un ar ddeg y bore ym mhentref Orlea roedd disgwyl i'r *dubaşi* ymgynnull yn nhŷ arweinydd y clwb ieuenctid. Dyna'r wybodaeth ddaeth i law pan holon ni ddyn lleol wrth ymyl y ffordd. 'Hawdd adnabod y tŷ,' meddai, 'fe welwch chi'r car gwyrdd.' Ond anodd gweld car, gwyrdd neu beidio, pan mae ffens wyth troedfedd o uchder o amgylch y tŷ a'r car yn yr iard tu fewn iddi. Dyfalbarhad oedd piau hi. Ffeindion ni'r tŷ ac roedd y gŵr bonheddig gartref.

Aeth Bogdan draw i siarad ag e, ac o'r ffordd yr oedd

y ddau yn amneidio arnom fe ddeallais eu bod yn gwneud trefniadau ar gyfer 'y bobol ddierth oedd wedi dod i helpu'. Esboniodd Bogdan y cwbl yn syml iawn inni.

'Cewch chi aros fan hyn. Bydd y parti'n cychwyn cyn bo hir. Cewch chi eu dilyn, a chofiwch recordio popeth. Byddaf i yn ôl ym mhen rhyw dair neu bedair awr.'

A chan godi ei fawd dros ei ysgwydd, cyfeiriodd ni at y cyfaill oedd yn sefyll tu ôl inni yn ddisgwylgar.

'Hwn yw'r bos!' meddai.

I ffwrdd â Bogdan wedyn heb esbonio yn union ble roedd e'n mynd, dim ond crybwyll 'y pentref nesa' a chwifio ei fraich.

Dyn canol oed oedd y bos, un bras o gorff, heb fod yn dal, a mwstásh mawr yn rhan bwysig o'i ymarweddiad. Roedd yn cerdded a'i goesau ar led, a'i war braidd yn gam, fel un oedd wedi arfer â chario pwysau mawr.

'Povtiți,' meddai, 'dewch i mewn a chroeso.'

Dilynom ni'r cyfaill. Roedd cyntedd o flaen y tŷ, a stepen uchel lan o'r pafin. Tŷ un llawr oedd e, a'r lloriau'n bren eithaf bras. Roedd matiau lliwgar dan draed, cwpwrdd wrth y wal a ffwrn fawr ymhob stafell. Roedd tân ynghynn ym mhob ffwrn heddiw. Yn y stafell fwyaf, roedd bord wedi'i gosod o flaen y ffenest a lliain pert o frodwaith mân drosti at yr achlysur. Cacennau bach cnau a mêl a hufen a siocled oedd ar y ford, potelaid o *țzuika* a dwy neu dair potel arall. Roedd merch abl iawn yr olwg tua phymtheg oed yn ysgubo'r llawr.

'Croeso, croeso,' meddai'n serchog iawn, a gwenu'n dwymgalon.

Dechreuodd y *dubaşi* gyrraedd fesul un. Roedd gwisg arbennig amdanynt, un frethyn, a lliw gwreiddiol y gwlân heb ei newid. Trowser a siaced, a'r rheini'n wyn, a brodwaith du o amgylch y pocedi a'r hem. Sgidiau, gwregys a hat uchel, a'r rheini i gyd yn ddu. Roedd pluen fawr ymhob hat. Gwisgai'r bechgyn rubanau lliwgar o dan y gesail a thros yr ysgwydd. Gwisg werin oedd hi ar y naill law, ond un oedd hefyd o dan ddylanwad y ffasiynau milwrol yn oes Ymerodraeth Awstria. Fe ddywedodd rhai o'r bechgyn eu bod wedi etifeddu'r wisg gan eu tad a'u tad-cu. Roedd parhad y pentref ar eu hysgwyddau yn llythrennol.

Bachgen pymtheg oed oedd yr ieuengaf yn eu plith. Doedd ei farf ddim wedi dechrau tyfu. Roedd y rhai hynaf yn eithaf hirben yr olwg, dynion wedi hen droi'n ugain oed, a'r deg ar hugain ar y gorwel, a hwythau wedi arfer â defodau a hwyl y *dubaşi*. Ar ôl yfed gwydraid, allan â phawb i'r stryd. Roedd dau gerddor wedi ymuno â'r fintai erbyn hyn, un yn cario sacsoffon a'r llall yn barod gyda'i acordion. Roedd bobi ddrwm bach gyda mwyafrif y *dubaşi*.

I ffwrdd â'r parti i gyfeiriad y pentref gan guro eu tabyrddau yn egnïol. Y ddau gerddor ar y blaen, a phawb yn cyhoeddi nerth eu pennau fod y *dubaşi* ar eu ffordd. Roedd y pentrefwyr yn sefyll tu allan i'w tai i weld y parti'n mynd heibio. Yr eglwys oedd y gyrchfan gyntaf. Roedd pob modfedd o furiau mewnol a nenfwd yr eglwys wedi eu paentio a'u haddurno yn goeth â darluniau crefyddol: disgyblion yr Iesu, y fam Fair, yr angylion a'r saint. Cafodd y *dubaşi* a'r plwyfolion i gyd eu bendithio, canwyd dau emyn ac wedyn dechreuodd yr ymdaith o amgylch y pentref.

Roedd y tai yn Orlea yn rhai nobl iawn, ac fe gawsom gyfle i'w gweld yn fanwl nid yn unig o'r tu allan ond o'r tu fewn hefyd y diwrnod hwnnw. O ran eu cynllun, ymdebygent i'r tai yn y Dwyrain Canol. Un gwahaniaeth sylfaenol rhwng y cynllun hwnnw a'r arfer yn y gorllewin, ac yng Nghymru, yw lleoliad y fynedfa. Nid yn wynebu'r stryd y mae drws y tŷ ond tu fewn i'r porth, a mur uchel – pren neu fetel – o amgylch y tŷ a'r clos. Ar y clos, ceir ffynnon yn aml iawn, a thai mas yn y cefn.

Er mwyn cael mynd i mewn i'r tai, curo ar y porth oedd y peth cyntaf i'r *dubaşi* ei wneud. Ymwahanai tri ohonynt â gweddill y parti: y blaenor, a hwnnw'n cario ffon arbennig a rhubanau lliwgar wedi'u clymu arni; bachgen arall yn cario pwrs neu gwdyn lledr i gadw'r rhoddion; ac un arall o'r bechgyn hynaf. Trawai'r blaenor y porth â phen ei ffon a gofyn am ganiatâd i ddod i mewn. Deuai'r ateb wedyn o'r clos: 'Pwy sydd yna, pwy ydych chi?' A'r ddau barti yn pyncio felly am ychydig nes agor drws y porth. I mewn â'r parti wedi hynny.

Ar y clos, byddai tair cenhedlaeth o'r teulu wedi ymgynnull, a rhai o'r cymdogion – pobol hŷn heb fodd i groesawu'r *dubaşi* i'w tai eu hunain, er enghraifft. Dyna fordydd hefyd a'r cacennau traddodiadol wedi'u gosod yn daclus arnynt, a diod i bawb. Ar un ford byddai rhoddion arbennig. Torth fawr wen, potelaid o *ţzuika*, selsig cartref a rhyw gymaint o arian o bosib. Derbyniai'r arweinydd y rhoddion yn ffurfiol ar ran y parti, rhoi'r arian i'r trysorydd er mwyn i hwnnw eu cadw yn y cwdyn a rhoi'r bwyd a'r ddiod i'r trydydd bachgen oedd â sach i gadw'r bara a'r danteithion.

Disgwylid i'r blaenor ddawnsio gyda gwraig y tŷ wedyn, a gweddill y parti yn gwahodd y merched hynaf o ran cwrteisi. Rhydd i bob un o'r *dubaşi* ei ddewis oedd yr ail ddawns, a thro'r merched oedd hi ar ôl hynny. Roedd yr achlysur yn un gwefreiddiol i'r to ifanc. Ai dyma'r tro cyntaf iddynt estyn llaw yn gyhoeddus i gariad annwyl fyddai'n dod yn briod iddynt cyn pen y flwyddyn? Gwyliai'r hen bobol yr hwyl, ac ambell i ddeigryn poeth yn treiglo ar rychog rudd. Swyddogaeth gŵr y tŷ, neu un o'r meibion, oedd cynnig diod i bawb. Cyn ailgychwyn, canai'r parti un o'r *colinde*. Y drefn oedd i ŵr a gwraig y tŷ gael galw am eu ffefryn. Weithiau, cenid dwy gân. Wrth fynd o'r naill dŷ i'r llall, roedd y parti'n mynd yn fwy swnllyd, a'r hwyl yn dda iawn, a'r canu a'r miwsig a'r asbri yn mynd yn fwy angerddol o hyd.

Tua phedwar o'r gloch, sylweddolon ni nad oedd siw na miw am Bogdan. Roedd hi'n dechrau nosi.

'Fyddwch chi'n aros gyda ni trwy'r nos?' meddai un o'r cwmni.

'Pryd fyddwch chi'n bennu?'

'Tua pedwar y bore.'

Erbyn hyn roeddem wedi mynd o amgylch tua hanner y tai yn y pentref, a dyma ni'n dod heibio i'r tŷ gyda'r car gwyrdd lle roeddem wedi ymuno â'r parti yn y bore. Penderfynom aros yno ar ôl ymweliad y *dubaşi*. Pe deuai Bogdan, dod i'r tŷ hwn y byddai'n siŵr o wneud. Edrychai'r teulu arnom yn syn. Roedd pawb mewn penbleth, ac roedd hi'n amlwg bod yr un cwestiwn yn eu poeni i gyd: pwy yw'r bobol ddierth yma, a sut yn y byd y byddan nhw'n mynd oddi yma?

Arhoson ni yn y tŷ hwnnw am ddwy neu dair awr. Doedd dim modd cysylltu â Bogdan. Roedd y teulu wedi mynd i ddigon o drafferth am y dydd eisoes, gan groesawu'r *dubaşi* yn y bore, ac roedd hi'n bryd iddynt gael llonydd i fwynhau gweddill y Nadolig. A allai rhywun fynd â ni i'r orsaf? Dim ond hanner dwsin o geir oedd yn y pentref. Cynigiodd un cadno bach fynd â ni am bris afresymol, ond doedd dim digon o arian parod yn ein pocedi. O'r diwedd, daeth y nyrs, cyfnither i wraig y tŷ, a mynd â ni. Wrth inni gyrraedd yr orsaf, roedd y trên ar fin cychwyn. Rhedon ni ar draws y traciau, gan afael yn afrosgo yn yr holl offer ffilm a sain drud, a llusgo ein hunain i mewn i'r cerbyd. Cododd gwres y trên yn donnau mawr drosom. Cyrhaeddon ni'r gwesty am hanner awr wedi wyth. Roedd hi'n un o'r gloch y bore ar Bogdan yn dychwelyd.

'Aeth y car yn sownd yn yr eira,' meddai wrth y ford frecwast drannoeth, 'ac roedd y ffôn bach yn pallu gweithio. Sut daethoch chi ymlaen 'te?'

Ac adrodd yr hanes wrtho.

Dydd Gŵyl Steffan yn Alma Sulişte

Y diwrnod ar ôl y Nadolig, fe aethom i bentref Alma Sulişte. Roedd hi wedi bwrw troedfedd o eira yn ystod y nos, ond roedd yr awyr yn glir ac wyneb y bore'n disgleirio. Rhyw bymtheg milltir o Deva, trodd Bogdan y car i gyfeiriad y mynydd. Culhau wnâi'r cwm wrth inni ddilyn yr heol yn bwyllog. Roedd y gaeaf wedi taenu lliain wen ar draws y caeau, a'r eira'n lluwchfeydd mawr wrth fôn y cloddiau a'r tai. Rhaid gyrru deng milltir yr awr.

Yn y man fe welsom fenyw fach fusgrell yn sefyll o dan goeden yn ymyl y ffordd o flaen un o'r tai. Roedd hi'n sefyll ar bwys ei ffon gan gadw llygad barcud ar y car oedd yn araf nesáu.

'Ydych chi'n gwybod lle ffeindiwn ni'r *dubaşi*?' meddai Bogdan.

'Mai departe,' meddai'r fenyw, gan lygadu'r cwmni, 'ymhellach lan.'

Ymhen rhyw ddeng munud, stopion ni i holi eto. Roeddem yn agos i ben uchaf y cwm erbyn hyn.

'Draw fanna maen nhw,' meddai'r dyn cydnerth, heini'r olwg oedd yn clirio'r eira o flaen ei dŷ. 'Gwrandewch,' meddai.

Ac yn wir, wrth wrando yn astud iawn, clywn sŵn drymiau yn gymysg â baldorddi'r nant a sgrech aderyn yn y coed llathrwyn.

Safai clwstwr o dai bob ochor i bont fach wrth dro yn yr heol ym mhen pella'r cwm. Allan â ni. Roedd lleisiau'r parti canu i'w clywed led cae oddi wrthym, a bwm-bwmpian y tabyrddau yn mynd yn sŵn bach yn yr eira mawr, meddal. Anelon ni at y lleisiau, a chyrraedd tŷ unig maes o law. Tŷ pren oedd e, a chyntedd helaeth o'i flaen rhyw ddwy droedfedd yn uwch na'r ddaear.

Roedd tua deg o *dubaşi* yn sefyll o amgylch bord fach yn y

cyntedd. Cynigiai gŵr y tŷ *ţzuika* wedi'i dwymo iddynt. Codai tarth melys o'r gwirod. Tu allan, roedd y buarth wedi'i gladdu yn yr eira, a chryn fodfedd o'r plu gwyn ar hyd y lein ddillad ac ar bob cangen yn y berllan daclus gerllaw. Mi dderbyniais wydraid o'r ddiod stemllyd, a theimlo ei gwawr boeth yn dân yn fy mherfedd. Canai'r *dubaşi* yn llawn angerdd a'u lleisiau yn herio'r cwm, a'r nant, a'r awyr. Canent i'r byw ac i'r meirw. Canent yn gadarn, canent yn falch i'r byd i gyd.

Buom yn dilyn y parti am wyth awr y diwrnod hwnnw. Wrth iddi fynd yn hwyrach, cynyddai'r dorf. Erbyn nos, roedd y pentref i gyd yn dilyn y *dubaşi*. Atseiniai'r cwm yn fôr o ganu. Roedd y *colinde* yn fyw, a'u geiriau hynafol yn clymu'r gymuned â'r cenedlaethau cynt ac â'r canrifoedd a fu. Doed a ddêl, dyma gymdeithas fyddai'n drech na phob anffawd allai ddod i'w rhan am flwyddyn eto, ac am lawer blwyddyn efallai.

Cyfres o ddefodau yn cael eu hailadrodd oedd ymdaith y *dubaşi*. Y pyncio wrth y porth, gwahodd gŵr y tŷ i enwi ei hoff gân, yfed gwydraid a dymuno iechyd da i'r cwmni. Roedd defod arbennig yn perthyn i dderbyn y rhoddion hefyd. Buon ni mewn hanner cant o dai yn ystod y tridiau yn Arad, a dim ond dwywaith neu dair y clywon ni'r ymddiddan diolch. Nid yw'n cael ei arfer heblaw bod gŵr y tŷ yn galw amdano yn unswydd. A chan ei bod yn ddefod gymhleth, dim ond hoelion wyth y traddodiad yn lleol sy'n cael cais i'w chyflwyno.

Ymddiddan rhwng blaenor neu arweinydd y *dubaşi* a thrysorydd y parti ydyw. Mae'r arweinydd yn dechrau â datganiad syml, a'r llall yn ailadrodd y geiriau gan ychwanegu rhywbeth atynt. Yn ôl ac ymlaen â'r ymddiddan o'r naill i'r llall wedyn, a'r sylwadau'n mynd yn fwy cymhleth ac yn fwy bywiog. Roedd cael gwrando ar yr ymddiddan fel bod yn llys Owain Glyndŵr yn Sycharth yn gwrando ar ymryson dau gyfarwydd neu ddau fardd teulu. Codai lleisiau'r pâr yn llawn rhethreg. Y datganiad olaf oedd 'trăiască gazda', sef 'hir oes i wraig y tŷ', a'r parti cyfan yn ailadrodd y geiriau yn un floedd gyda'i gilydd.

Wrth lwc, roedd y camera'n barod gyda fi, a'r rhethregwyr yn sefyll o'm blaen. Roeddwn i wedi fy nerbyn i'r cwmni ar ôl treulio oriau ar geuffyrdd pen y cwm gyda nhw, ac ni chymerent ddim sylw o'r teclyn nac o'r golau recordio coch. Dangosais y ffilm i ffrindiau o brifysgol Alba Iulia Nos Galan ar ôl y daith. Doedden nhw ddim yn deall popeth, gan fod iaith y penillion yn ddyrys ac yn hynafol.

Yfais i ddim digon o ddŵr yn ystod y tridiau y bûm yn hel tai yn Arad. Ond mae cerdded o ddrws i ddrws am wyth awr yn waith sychedig, a cherdded yn yr eira yn waith oer, felly roedd hi'n anodd i fi wrthod y brandi lleol. Anodd hefyd mesur a rhagweld ei gryfder. Wn i ddim faint yn union yfais i, ond roedd oglau sudd eirin ar fy chwys am dri diwrnod wedyn. Ac yn sgil yr holl gacennau melys yr oeddwn i wedi gloddesta arnynt, methais â bwyta dim byd bron am rai diwrnodau hefyd.

Wrth i amser fynd heibio, hyn a hyn o ddarluniau sydd yn aros yn y cof yn y pen draw. Cofiaf wynebau'r hen bobol wrth i'r parti canu fynd trwy eu pethau. Hen bobol oedd yn byw yn unigedd y cwm ar hyd y flwyddyn a llawer i ddiwrnod yn mynd heibio heb iddynt dorri gair â neb hwyrach. Ac wedyn, dyma ddathlu mawr, a'r wynebau ifainc, awchus yn dwyn yr amser gynt i gof oedrannus, a'r holl achlysur yn drech na thyddynwyr tlawd eu byd sy'n byw yn syml ac yn hunanddisgybledig. A dyma'r dagrau'n llifo'n hidl, a finnau'n teimlo peth cywilydd fy mod yn dyst i ing gwraig neu ŵr gweddw, a theimlo i'r byw drostynt wrth ymadael â'u haelwyd a'u gadael yn y tawelwch mawr gydag atgofion oes unwaith eto.

Cofiaf y parti yn croesi pompren sigledig trwy'r gwyll, a'r nant yn fwrlwm rhewllyd odanynt, a phob un yn callio cyn camu'n unionsyth yn ei flaen, gan feddwl mai brawd baglu yw boddi. Cofiaf y crefftwr oedd yn gwneud y drymiau. Gŵr tal, urddasol oedd e, a'i gwsmeriaid yn dod o bedwar ban byd, a rhai ohonynt yn gerddorion o fri, fel y teulu Shemerani o Iran. Roedd bath lliw pinc yn y gegin gan y crefftwr hwn, ac roedd yn amlwg mai yn y gweithdy y treuliai ei amser. Fe ddangosodd ddrwm i fi yr oedd ei gwsmeriaid wedi'i lofnodi er 1973. Canai nerth ei ben gyda'i gymdogion gan hel yr holl fwganod sy'n blino dyn dros y rhiniog a thros y mynydd am flwyddyn arall. Mi welais rym y gân ar waith y noson honno, grym cydganu yn wyneb ffawd, grym llais y pentref yn taranu yn y cwm.

Ond pa ddyfodol sydd i bentref Alma Salişte ac i gannoedd o bentrefi traddodiadol eraill ar hyd ac ar draws Rwmania? Beth ffeindiwn i yno os awn yn ôl ymhen pum mlynedd? Mae'r cymoedd yn cael eu diboblogi. Mae deiliaid y gân yn cael eu gwasgaru. Fel mae'n digwydd, yr oedd y to ifanc gartref dros y Nadolig yn Alma Salişte pan fuom ni yno. A ddôn nhw bob blwyddyn wrth i'w byd droi i gyfeiriad y ddinas?

Damwain greulon oedd wrth wraidd parhad a ffyniant traddodiad y *dubaşi* yn Alma Salişte. Silvan Popescu yw enw'r dyn a anafwyd. Cynaeafu yr oedd, a'r peiriant wedi llyncu ei goes. Roedd yn wyrth iddo fyw. Cafodd goes bren, a hyd y dydd heddiw mae'n cerdded yn gam, gan lusgo un goes ar ei ôl. Yn ystod ei salwch, dechreuodd Silvan ymhyfrydu yn yr etifeddiaeth. Dechreuodd astudio'r caneuon, eu dysgu ar ei gof ac ailennyn diddordeb y gymuned ynddynt. Y diwrnod y buom yn Alma, y fe oedd yn arwain y parti. Dyn deugain a phump oed yw Silvan.

Dim ond un tŷ sydd â thoiled modern yn Alma Salişte. Tai bach hen ffasiwn sydd gyda gweddill y bobol. Bydd y genhedlaeth nesaf eisiau gwell byd, ac mae perygl iddynt gefnu ar fyd eu tadau. Un o'r cwestiynau mawr am y degawdau nesaf yn Rwmania felly yw dyfodol y tyddynwyr. Dinistriwyd bywyd cefn gwlad gan y drefn Gomiwnyddol yng Ngwlad Pwyl ac yn yr Ukrain, er enghraifft, pan gafodd ffermydd enfawr eu creu er mwyn optimeiddio cynhyrchu bwyd. Roedd paith agored y gwledydd Slafonig yn hwyluso'r gwaith aildrefnu, ond ym mynyddoedd Rwmania, lle roedd gwrthsefyll y Magyar a'r Otoman yn hen grefft, anodd oedd darbwyllo'r tyddynwyr bod y drefn newydd yn ddedwydd nac yn dda.

Er gwaethaf teyrnasiad Ceauşescu felly, a'i fwriad i ddileu'r hen ffordd o fyw, dyw bywyd cefn gwlad ddim wedi newid fawr yn Rwmania ar y cyfan. Tirwedd gyn-ddiwydiannol sydd eto yn Nhransylfania, Moldova, Maramureş ac Oltenia, dim ond i ddyn fentro oddi ar y brif ffordd. Yn yr 1970au, gwelid tyddynnwr yng ngwlad Groeg yn godro gafr yng nghysgod olewydden, ac yn Iwerddon, tan ddechrau'r 1980au, gwelid yr hen Wyddel a'i asyn yn mynd â throlaid o fawn tua thre ar derfyn dydd. Ond diflannu wnaeth y golygfeydd eiconig hynny o fewn cenhedlaeth, ac erbyn hyn Rwmania yw cadarnle olaf hen werin Ewrop.

Pythefnos ym Mhentref Arlus

MAE YMADAEL â sir Alba Iulia, Transylfania, a chyrraedd ardal Gorj, Oltenia, yn debyg i gyrraedd Lloegr wrth ymadael â Chymru. Mynd o'r mynydd i'r paith. Gweld yr afonydd yn ymledu, a'r trefi'n fwy o faint. Ond yn Gorj, mae'r tir yn gras a'r haul yn danbaid. Gwelaf y sipsiwn, dwy garafán ar y tir agored. Mae eu gwisgoedd mor lliwgar â'r enfys. Dyna ddyn yn eistedd ar gadair ar y maes a'i wraig yn torri ei wallt. Mae mwg yn codi o'r tân gerllaw. Troednoeth yw'r plant, a'r ceffylau'n pori'n hamddenol.

Ar y bws y des i o Hunedoara i Târgu Carbuneśti ddoe, ac oddi yno i gefn gwlad Gorj, i blwyf diarffordd o'r enw Arlus. Cilfach heb ddim ffordd trwyddi yw Arlus, a'r coed yn gorchuddio'r llethrau ar bob ochor iddi. Roedd hi'n ddiwedd dydd erbyn i fi gyrraedd pen y daith. Mi ges gig gŵydd i swper a gellyg wedi'u rhostio. Roedd y gwin yn befriog, ac arlliw o flas y pridd arno. Am naw o'r gloch daeth yr athro ysgol i gwrdd â fi.

'Dywedodd fy mrawd fod gyda chi ddiddordeb arbennig yn y diwylliant lleol.'

Ei frawd, darlithydd ym mhrifysgol Bonn, yr Almaen, fel fi erbyn hyn, oedd wedi trefnu i fi aros yn Arlus.

'Oes,' meddwn i. 'Dw i'n gwneud astudiaeth o farddoniaeth cefn gwlad Rwmania.'

Ac aeth hi'n sgwrs frwdfrydig rhyngom am lenydda.

'Fe ddywedodd fy mrawd wrtha i mai'r un yw tarddiad y gair Wales a Wallachia.'

Edrychais arno'n syn. 'Wallachia yw'r hen enw am ddeheubarth Rwmania, yntefe?' meddwn i.

''Na chi. Gair Almaeneg.'

'A beth yw'r ystyr?' meddwn i.

'Dyna'r enw oedd gyda'r hen Germaniaid i'r cenhedloedd estron oedd wedi dod yn rhan o ymerodraeth Rhufain.'

'Gymerwch chi lasiad arall?' meddwn i.

'Well i fi ei throi hi toc,' meddai'r cyfaill. 'Byddwn ni ar ein traed yn gynnar fory.'

'Diolch am ddod draw.'

'Wela i chi yn fuan eto. Rhowch wybod os byddwch angen unrhyw beth.'

Bues i yn aros yn Arlus am bythefnos wedyn, yn gwneud fy ngwaith darllen a chyfieithu, a nodi'r hyn a welwn yn y cyffiniau. Mi ges wahoddiad i fynd i hela. A derbyn. Daeth y dynion i fy nôl ymhell cyn iddi wawrio. Roeddwn wedi gwisgo at yr helfa y noson cynt, a thynnu dim ond fy mŵts i gysgu, rhag ofn i fi gael fy ngadael ar ôl.

'Să mergem,' meddai llais yn y tywyllwch, 'awn ni.'

Ymhen rhyw awr, wrth i'r sêr bylu a gwlith y bore yn disgyn, fe welon ni ffynnon fawr ar lawr y coed, a chwilio am le i guddio yn y mangoed.

'Fe ddôn,' meddai'r dyn nesaf ataf.

Ac fe ddaethant, yn hanner dwsin o gysgodion distaw, eu cefnau main yn llathru'n rhudd wrth iddynt gamu tua'r dŵr. Clywais daniad mawr, a sŵn carnau yn sgathru trwy'r dail. Wrth y ffynnon, gorweddai carw praff. Roedd ei lygaid yn wydr erbyn inni gyrraedd. Archwiliodd yr heliwr y gelain, a chilwenu yn fodlon o ddarganfod mai wrth y glust y trawyd yr ergyd farwol. Heb oedi dim, aeth y dynion ati i glymu'r anifail wrth bolyn wyth troedfedd o hyd oedd gyda nhw at y perwyl. Buan iawn y deallais wedyn pam yn union yr oeddwn wedi cael fy ngwahodd i'r coed y bore hwnnw. Gwaith ysgafn yw tanio'r gwn, ond gwaith caled yw cario deg stôn o gig ac esgyrn am dair milltir trwy'r coetir anwastad. Y noson honno, fe ganwyd 'Cântic Vânatorului' – 'Cân yr Heliwr' – yn y pentref.

'Er anrhydedd i chi maen nhw'n canu,' meddai'r athro ysgol. 'Dyna'r tro cyntaf i fi glywed y gân ers deng mlynedd.'

Ym mhentref Arlus, mae'r bobol yn hongian eu cotiau ar fachau carn carw, a phenglogau'r llydnod yn addurno'r trawstiau.

Drannoeth yr helfa, es i ddim i unman. Helpu'r merched i gario dŵr. Cofnodi fy anturiaethau. Roedd poen yn fy mhenglin ar ôl baglu a bustachu trwy'r goedwig o dan y baich trwm y diwrnod cynt. Daeth un o'r merched â chlwtyn wedi'i drwytho mewn sudd eirin wedi'i ddistyllu – *ţzuika* – a'i roi'n rhwymyn ar y cymal tost. Roedd perlysiau yn y gymysgedd, mintys a wermod â barnu wrth yr oglau. Llafarganai'r feddyges eiriau hysbys wrth glymu'r rhwymyn: 'sănătate, sănătate' – iechyd, iechyd. Safai'r plantos yng nghil y drws yn gwylio'r wers yn llygaid i gyd.

Bob bore gyda'r wawr, roedd y cwm yn wledd i'r glust. Cart yn clinc-clancan ar yr heol. Dŵr yn slwshan mewn bwced. Lleisiau prepllyd yn y buarth, ceiliogod y plwyf yn rwba-dwba-dwban a'r cŵn yn haw-hawian bob un yn ei dro. Ond tu ôl i'r twrw plygeiniol roedd y wlad, yn ei hanfod, yn ddistaw. Doedd dim hwmian traffig yn y pellter. Dim rwdlan radio. Roedd y tawelwch mor gyflawn nes gadael blas yn y geg.

Ym mhentref Arlus, mae ambell i deulu'n berchen ar fwy o dir na'r lleill. Rhaid defnyddio cymaint o'r tir â phosib i fwydo'r trigolion, felly os bydd y tyddyn yn rhy fawr i'r perchennog ei drin, mae'n gosod cae neu ddau i deulu arall sydd eisiau ychwanegu at eu cnwd. Gosod y caeau a chael peth o'r cnwd yn llog am y gymwynas. Yn ystod y pythefnos y bûm yn Arlus, daeth tyddynnwr tlawd i'r tŷ i dalu'r degwm. Tua phedwar o'r gloch y prynhawn oedd hi, a dyma gart pren yn cael ei dynnu gan ddwy fuwch – nid ŷch – yn ymddangos yn y porth. Roedd hen ferch heb ddant yn ei phen yn marchogaeth ar gefn y cart, clamp o fenyw wreiddiol iawn yn hebrwng y cart ar droed, gŵr bach iawn o gorff yn arwain yr ymgyrch a chi bach slei yn sgwlcan wrth ei sawdl.

Roedd y cart yn llawn india-corn a hwnnw'n fôr melyn llachar bendigedig. Roedd cnawd y menywod yn lliw haul tywyll fel canhwyllau cŵyr. Am eu pennau gwisgent sgarff rhag y llwch a'r gwres. Nofiai eu sgerti duon llaes o'u hamgylch fel adenydd bilidowcar ar led. Dyma nhw'n dechrau dadlwytho'r cnwd bob yn sachaid, y merched yn llanw a'r dyn bychan yn cario i'r ysgubor ym mhen draw'r clos. Cynigiais eu helpu. Fy anwybyddu wnaethon nhw. Ailgynnig. Ailanwybyddu. Cynnig drachefn. Na.

Wn i ddim yn y byd pam, ond fe gydiodd rhyw ddiawlineb ynof, a dyma fi'n gafael yn y dyn, a hwnnw'n gafael mewn sach a'i llond o'r india-corn, a chodi'r cwbl ar fy ysgwydd, y dyn a'r sach, a'i chychwyn tua'r ysgubor. Dim ond rhyw naw stôn oedd y creadur, a'r sach yn ddwy neu dair. Cicio a straffaglu a phrotestio wnaeth e, druan, bob cam, a'r merched ar y cart yn chwerthin nerth eu pennau. Gosodais fy maich ar lawr yr ysgubor, a phlygu i gael fy anadl ataf.

'Fe godoch chi fi, do, ond wnes i ddim gollwng y sach, cofiwch!' meddai'r tyddynnwr bach, yr un mor ddrygionus â fi yn y bôn.

Cyn pen dim, wrth gwrs, roedd yr hanes wedi cyrraedd pen pella'r pentref, a sôn am y 'cawr o Sais' oedd wedi codi Jac Tyddyn Isa a'i gario ar ei gefn dair gwaith o amgylch yr ysgubor cyn ei ollwng yn rhydd. Roedd y bobol yn gwenu arnaf am weddill y pythefnos wedyn a rhyw fflach 'chwarae-teg-go-dda-chi-boi' yng nghannwyll eu llygaid.

Mi glywais ambell i stori go ddu ym mhentref Arlus. Brawd a chwaer 'rai blynyddoedd yn ôl' – doedd dim hawl gen i wybod y cyfan – oedd wedi cael eu diarddel gan y pentref. Buasai'r pâr yn cyd-fyw ers i'r tad gefnu ar yr aelwyd a symud i Fwcarést, a'r fam hithau wedi mynd i'w bedd wedi pwl o salwch. Bu sibrydion, ac amau llosgach. Cafodd y pâr eu clymu wrth yr aradr, a'u gorfodi i aredig cwys. A'u bwrw allan o'r plwyf heb ddim cyfaddawd. Aeth ias trwof pan glywais yr hanes. Roedd hi'n stori greulon. Ond yng nghymoedd anghysbell Rwmania, roedd y llysoedd barn ymhell i ffwrdd, a rhaid oedd gwarchod y drefn naturiol. Heb honno, bydd y gymdeithas yn chwalu. Ac yng nghefn gwlad, lle mae'r bobol yn dibynnu'n llwyr ar y ddaear, heb ddim byd arall yn gefn iddynt, mae caledi a galar yn rhan feunyddiol o'u byd. Bu farw bachgen wyth oed – 'yn ddiweddar' meddai'r athro ysgol – wedi i haid o wenyn mawr ei bigo.

Roedd gwinllan gyda phob tyddyn yn y plwyf. Tyfai'r gwinwydd mewn rhesi pert ar bwys y tai. Roedd y bobol yn medi digon o rawnwin i wneud hanner cant, cant, hyd at ddau gant o alwyni o win. Bûm yn cynorthwyo gyda'r gwaith. Hel y ffrwyth bob yn fwcedaid oedd gyntaf. Llanwai gwraig y tŷ ei ffedog. Mynd i'r seler wedyn i falu'r cynnyrch. Safai peiriant malu ar ben stwc enfawr. A malu llond y peiriant â llaw. Disgynnai'r stwnsh i waelod y stwc, ac wrth lanw hwnnw bob yn dipyn, gwasgai pwysau'r grawn y sudd allan trwy'r tap yn y gwaelod. Diferai'r sudd i fasn ar y llawr.

Bob hyn a hyn, deuai gwraig y tŷ i wacáu'r basn. *Jerrycans* oedd enw'r poteli mawr gwydr lle roedd y sudd yn cael ei gadw. Wrth arllwys cynnwys y basn cyntaf i'r *jerrycan*, mae'r penteulu yn gweiddi. O glywed y waedd, fe ŵyr y cymdogion y bydd gwin ar gael y flwyddyn ganlynol. Fel arfer mae peth sudd yn tasgu ar hyd y llawr. Rhodd i'r meirw yw'r diferion coll. Gwnaem y gwaith ar wres mawr, a buan iawn yr oedd y sudd yn dechrau madru yn y stwc, ac oglau'r siwgr yn llanw'r seler yn llesmeiriol. Roedd hynny'n denu'r gwenyn mawr a'r piffgwns, a'r rheini'n meddwi'n llwyr ar y cyffur. *Most* yw enw'r sudd, a'r gwin ifanc. Erbyn nos, roedd y *most* yn dechrau berwi a throi'n win. Mi yfais dri pheint ohono ar ei dalcen, y peth mwyaf iachus a mwyaf blasus dw i wedi ei yfed erioed. Ond mi wnes gamgymeriad amser brecwast: yfed peint arall yn awchus, heb feddwl ei fod wedi troi'n win eisoes. A mynd yn ôl i'r gwely i sobri.

Roedd gwneud gwin yn arwydd bod y cynhaeaf ar ben. Hel coed tân a pharatoi at y gaeaf oedd yr orchwyl nesaf yn y pentref. Roedd mis Medi'n dirwyn i ben. Ambell i flwyddyn, byddai hi'n bwrw eira cynnar erbyn Calan Gaeaf. Ar ôl swper, eisteddwn ar y cyntedd ambell waith a chwarae'r ffliwt. '*Cioban*!' meddai'r bobol – 'bugail'. Roedd cath wyllt yn llechu yn y cefndir. Taflwn ddarn o gig iâr neu asgwrn iddi o bryd i'w gilydd. Deuai'n nes, nes bob dydd. Rhyfedd fel mae dyn yn cynefino â phethau syml mewn byr amser.

Ond er gwaetha'r dynfa ar y galon, mynd oedd rhaid i fi yn fuan wedyn. Mynd a gadael tyddynwyr balch Arlus i wynebu'r hin a'r eira, i ddofi'r pridd â'u dwylo corniog, i hela'r carw gyda'r wawr ac i weld eu plant yn ymadael bob yn un, cefnu ar fyd bach y cart a'r ceffyl a'r fwyell a'r aradr am byth, i ddilyn eu gyrfa ym Mwcarést, Toronto, Barcelona a Milan.

Y Bardd, y Mynydd a Chymdeithas Lenyddol Arados

'MAE'N DDRWG CALON gen i, ond fe fyddai'n groes i ewyllys Duw i fi gymryd rhan yn y gweithdy cyfieithu barddoniaeth sy'n cael ei gynnal yn Rwmania ym mis Awst eleni.' Pan sefydlais i Arados ar y cyd ag Emilia Ivancu a Tomasz Klimkowski, doeddwn i erioed wedi meddwl y byddai gweithgareddau'r gymdeithas yn esgor ar ddatganiad mor syfrdanol â hwnna, nac yn annog neb i ysgrifennu llythyr mor gofiadwy. Ond felly y bu.

Nod cymdeithas fach Arados yw hyrwyddo gwaith pwysig gan feirdd sy'n ysgrifennu yn yr ieithoedd Celtaidd, Rwmaneg a Phwyleg, beirdd y mae eu gwaith yn haeddu cael ei ddarllen a'i gydnabod yn rhyngwladol. Bob blwyddyn ers 2009 felly, mae'r gymdeithas yn cyfrannu at Ffair Lyfrau Alba Iulia, Rwmania, cynnal gweithdai cyfieithu a chydweithio â gwahanol bartneriaid yn y byd cyhoeddi. Thema'r gweithdy oedd ar y gweill nawr oedd barddoniaeth Lucian Blaga, a'r bwriad oedd cyfieithu peth ohoni i'r Saesneg, ac i Aeleg yr Alban hefyd.

Roedd nifer o gyd-ddigwyddiadau wedi creu fforwm i aelodau'r gymdeithas ddod ynghyd i gyfnewid eu syniadau. Bûm i'n cyhoeddi cerddi yn *An Guth* yn yr Alban, a chael fy ngwahodd i dreulio wythnos yn y wlad honno yn 2008. Bu cyfnewid pellach wedi'r gweithdy, a chyfarfod yng Ngwlad Pwyl ymhen y rhawg. Cyd-ddigwyddiadau sydd yn ein sbarduno weithiau, ac un cyd-ddigwyddiad yn hanes ffurfio

Arados oedd y ffaith bod y darpar aelodau i gyd wedi darllen
Das Heilige, llyfr gan yr athronydd Rudolf Otto a gyhoeddwyd
yn 1917, lle trafodir y cysyniad o *mysterium tremendum*. *The
Idea of the Holy* yw teitl y cyfieithiad Saesneg.

Yn y traddodiad Cymraeg, ynghyd ag emynau Ann Griffiths,
un o'r enghreifftiau mwyaf trawiadol o'r *mysterium tremendum*
yw paragraff gan T. J. Morgan yn y llyfr *Trwm ac Ysgafn*. Yn yr
1930au, fe recordiodd T. J. Morgan y pum siaradwr Cymraeg
olaf ar lethrau deheuol Bannau Brycheiniog rhwng Crughywel
a'r Fenni. Ac yntau ar ei ffordd trwy'r eira mawr i'r ffermydd
anghysbell nepell o Ferthyr Isha – neu Paterisha fel mae pawb
yn ei alw bellach – cafodd Morgan brofiad annisgwyl a'i
ddisgrifio fel a ganlyn yn y bennod 'Grwyne Fechan':

> ... sefais yn fy unfan a chodais fy ngolygon, ac o'r lle y safwn, ni
> welwn ddim ond caer o fynydd-dir yn fy nghylchynu a'r llethrau
> serth yn ddisglair wyn ac yn llewyrch haul diwres canol-dydd
> o aeaf. Yr oedd yn arswydus, fel petai'r distawrwydd wedi
> rhewi ar y llethrau. Daeth rhyw oergryd trosof ac am ryw eiliad
> clywais ias anhraethadwy ond trwy gyffelybiaeth, ac yn fwy na'r
> ias ei hun, ryw deimlad euog nad oedd gennyf hawl i'w phrofi.
> Yr oedd fel arswyd y gwagle sydd rhwng y sêr lle na henfydd
> dim ond arswyd, arswyd y greadigaeth.

Yng ngogledd yr Alban, pan fydd y creigiau arswydus yn
mygu a'r niwl yn chwyrlïo nes gyrru dyn yn benwan, a hoen y
ffurfafen a'r greadigaeth oll yn ymchwyddo'n annirnad, hawdd
teimlo'r hyn a deimlodd T. J. Morgan y diwrnod hwnnw ger
Crughywel.

Un o'r mynyddoedd mwyaf arswydus a thrawiadol yn yr
Alban yw'r Quiraing ar ynys Skye. Aeth aelodau Arados i
ddringo'r mynydd. Ar ôl ei ddringo, a theimlo'r wefr, a dod
oddi yno heb gael ein cipio dros y dibyn gan y corwyntoedd,

aeth y cyfnewid syniadau yn ei flaen yn esmwyth. Ond 'hawdd dywedyd "dacw'r Wyddfa", nid eir drosti ond yn araf...' Roedd athroniaeth Rwmania – a'r ffydd uniongred – yn ormod o fynydd i fardd o'r Alban ei ddringo, ac wrth astudio barddoniaeth Lucian Blaga, a'i chyfieithu, doedd dim modd anwybyddu'r athroniaeth honno.

Yn y gerdd 'Vreau să jôc' ('Dw i eisiau dawnsio') gan Lucian Blaga, ceir agwedd tuag at yr Iôr oedd yn faen tramgwydd i'r cyfaill o'r Alban. Meddai Blaga: 'Dw i eisiau dawnsio, prancio a dychlamu, er mwyn i Dduw beidio â chael ei fogu ynof, fel na chlywir mohono yn achwyn [ac yn dweud]: "Nid wyf ond caethwas yn y carchar."' Roedd syniadau syml ond mawr eu hoblygiadau fel hyn, lle nad yw Duw yn hollalluog, na dyn yn gwbl ddarostyngedig iddo, wedi drysu trefn y byd tu hwnt i Glasgow. Y canlyniad oedd newid trywydd y gweithdy cyfieithu, a chanolbwyntio ar destunau eraill.

'Ond beth yw ystyr Arados?' meddech chi. Dyna'r gair 'aradr', wrth gwrs. Yn ogystal â'i arfer yn yr iaith Gymraeg, mae'n air sy'n cael ei arfer ym myd yr ieithoedd Románs. Symbol yw'r aradr am fywyd cefn gwlad, ac am fyd amaeth traddodiadol yn ystod y canrifoedd. 'A chanlyn yr arad goch ar ben y mynydd mawr,' meddai'r bardd. Mae'n symbol o fyd y werin, ac o gyfamod rhwng dynol ryw a'r ddaear – sef y bydd y ddaear yn cynnal dynol ryw, dim ond iddi gael ei pharchu ganddo. Mae'r beirdd y mae cymdeithas Arados yn hyrwyddo eu gwaith yn feirdd a dreuliodd eu bywyd ymhell o ganolfannau dysg a llên Prydain a'r cyfandir – Llundain, Paris, Berlin a Bwcarést, er enghraifft. Beirdd y pridd ydyn nhw, a beirdd yr aradr felly.

Traddodiad metropolitanaidd yw traddodiad llenyddol Ewrop, traddodiad dinesig. Ac yn y traddodiad hwn, mae'r llenor yn cefnu ar y wlad ac yn magu trefoldeb. Felly y mae ym myd yr artist hefyd. Yn llenyddiaeth a chelf Ewrop felly, rhywbeth ar y gorwel yw cefn gwlad, rhywbeth braidd yn bell ac anodd ei gyrraedd. Ac mae diwylliant cefn gwlad, ynghyd ag iaith ac arferion y bobol, yn dywyll ac yn ddirgel. Lle i ffoi iddo o'r ddinas yw cefn gwlad. Fe'i darlunnir yn aml fel lle gwag, neu fel byd llawn rhamant neu hiraeth. Ambell waith, mae'r dinesydd yn ailddarganfod natur yno, yn hardd neu'n ffyrnig, ac ailddarganfod Duw efallai, fel y gwnaeth William Wordsworth a Gerard Manley Hopkins, y naill yn ne Cymru a'r llall yn y Gogledd. Ond yn y man, mynd yn ôl i'r ddinas y mae'r beirdd a'r artistiaid, wedi cynaeafu hyn a hyn o ddelweddau ac o brofiadau. A phrin yw'r sôn yn eu gwaith am y bobol gyffredin, y tyddynwyr, nac am y crefftwyr a'u byd.

Yn Rwmania, mabwysiadu traddodiadau Ffrainc wnaeth yr *intelligentsia*, a dilyn patrwm gorganoli yn y brifddinas. Dyna pam y dywedir bod Bwcarést yn ail Baris. Mae'r ddwy ddinas yn dra gwahanol i'w gilydd mewn gwirionedd, ond dymuno bod yn Ffrengig, yn oleuedig ac yn ôl-frenhinol yr oedd llenorion Bwcarést yn y cyfnod modern. Un canlyniad i hynny oedd dibrisio byd y tyddynnwr. Ond heb y byd hwnnw – y tyddyn, y crefftwr a'r pentref – cysgod disylwedd yw Wallachia, Transylfania a Moldova. Ac onid gwir hyn am Gymru hefyd? Ai cysgod disylwedd yw Morgannwg, Dyfed a Gwynedd hefyd heb yr hen Gymry?

Yn nhraddodiad Rwmania yn yr ugeinfed ganrif, tri llenor wnaeth wrthsefyll y duedd i ymsefydlu ym Mwcarést a chefnu ar y filltir sgwâr. Daeth un, sef Marin Preda, yn enwog iawn am nofel ddychanol o'r enw *Y Dyn yr oedd Pawb yn ei Garu*. Yr unben Ceaușescu oedd testun gwawd y llyfr, ond fe'i hysgrifennwyd mewn ffordd mor eironig nes i'r awdurdodau feddwl mai canmol yr arlywydd yr oedd yr awdur, ac aethant ati i hyrwyddo'r llyfr yn frwd. Lucian Blaga a Tudor Arghezi oedd y ddau awdur arall.

Mi godais y llythyr o'r Alban eilwaith rhwng bys a bawd.

'Mi a euthum at y Brawd i gyffesu fy mhechawd,' meddai Dafydd ap Gwilym ers llawer dydd. 'Mi a euthum at y ficer,' meddai'r cyfaill o'r Alban yn y llythyr, 'a gofyn ei gyngor ynglŷn â'r daith i Rwmania i gymryd rhan yn y gweithdy.' A dyma a ddywedodd y ficer wrtho: 'Os ewch chi i Rwmania, siawns na ddewch chi byth yn ôl.' Atebais i mo'r llythyr. Ond ers cynnal y gweithdy, cafodd fy ngwaith sylw ar y radio a'r teledu cenedlaethol yn Rwmania sawl gwaith, diolch i gyfieithiadau Emilia Ivancu. Ac mae hynny wedi codi ymwybyddiaeth o Gymru a'r iaith Gymraeg yno. Byddai Geraint Dyfnallt wrth ei fodd, mae'n debyg.

RHAN 3

Syria, Yemen, Uzbekistan
gan Amanda Reid

SYRIA

Cyfrinach y Crefftwr yn Ninas Hama

YN EI LYFR *Tribes with Flags* (Picador, 1990), mae Charles Glass yn disgrifio'r gwrthdaro yn Hama, Syria, yn 1982 rhwng Moslemiaid Sunni a lluoedd y Blaid Sosialaidd Ba'ath sy'n cael ei rheoli heddiw eto gan Bashar al-Assad a'i deulu. Credir i 40,000 o bobol gael eu lladd yn ystod yr anghydfod hwnnw. Yn ystod ei ymweliad â Hama ar ddiwedd yr 1980au, holodd Glass ymhlith y trigolion am y brethyn arbennig sy'n cael ei gysylltu â Hama ers canrifoedd lawer, ac fe ddaeth o hyd i un siop oedd yn gwerthu'r defnydd – er mawr syndod iddo, meddai yn y llyfr.

Cymysgedd o liain a chotwm yw'r defnydd. Fe'i defnyddir ar fordydd, mae'n cael ei daenu dros gelfi i'w haddurno, fe'i gwelir yn orchudd ar welyau ac mae'n ddefnydd da i wneud llenni ohono. Nid y defnydd ei hun sy'n arbennig, fodd bynnag, ond y gwaith argraffu patrymau a wneir ar y defnydd, a'r inc du a ddefnyddir i baentio neu i stampio'r patrymau hyn arno.

Ar ôl y gyflafan yn 1982, crebachodd nifer y crefftwyr oedd yn feistri ar yr hen dechneg leol hon. Pum teulu oedd yn geidwaid y traddodiad cyn hynny, ac erbyn i Glass rodio strydoedd cefn Hama ar ddiwedd yr 1980au, dim ond un oedd yn dal i arfer y grefft. Un teulu yn unig felly oedd yn ddolen gyswllt â diwylliant o fri oedd wedi dod â chlod i Hama yn yr amser gynt. Pan gyrhaeddais innau Hama ddeng mlynedd yn ddiweddarach, penderfynais fynd ar drywydd y traddodiad, a chwilio am y teulu oedd wedi goroesi dinistr 1982.

Un o briodweddau defnydd Hama yw'r modd y mae blociau pren yn cael eu defnyddio i addurno'r defnydd gwyn. Defnydd cwrs yw e, brethyn cartref sy'n anodd i'w dreulio na'i ddifwyno. Yn hynny o beth, mae'n dra gwahanol i'r sidan cain a gysylltir â Damascus. Mae'r brodwaith a wneir ag edafedd aur ar hwnnw yn adlewyrchu byd moethus y cyfoethogion yn y brifddinas ers llawer dydd. Peth gwerinol yw defnydd Hama ac, yn debyg iawn i lawer o gynnyrch y seiri coed, y gwehyddion a'r troellwyr oedd yn arfer darparu offer i'r werin Gymreig, cynhyrchu rhywbeth pwrpasol na fyddai angen ei adnewyddu yn aml oedd amcan y crefftwyr yn Hama hefyd. Dyma ddefnydd sy'n gallu gwrthsefyll gwres tanbaid yr haul am flynyddoedd. Fe ellir ei gannu a'i olchi dro ar ôl tro heb iddo ddirywio. Y cwestiwn mawr yw: pa gynhwysion yn y lliw sy'n gwneud iddo fod mor sefydlog?

Dechreuodd yr helfa pan ddaeth bachgen ifanc i'm cyfarch ar y stryd. Ychydig iawn o Saesneg yr oedd e'n ei fedru, ac roedd ei dafod yn baglu dros y geiriau. Mi esboniais beth yr oeddwn i eisiau ei wneud, ac fe gytunodd y llanc ifanc i'm tywys orau y gallai hyd at y nod. Yn y marchnadoedd y dechreuwyd holi. Bu siarad wedyn â gwneuthurwyr matiau a charthenni, â gwerthwyr dillad a chwrlidau, ac â gwerthwyr crochenwaith hefyd. Ond nid oedd neb yn gwybod y dim lleiaf yn rhagor am y brethyn arbennig yr oeddwn i'n chwilio amdano.

Erbyn canol y prynhawn roeddwn wedi bod yn llusgo fy nhraed bach ar hyd lonydd a chilfachau'r ddinas ac yn prysur ddiflasu ar yr helfa ofer ac ar ffaeleddau fy nhywysydd ifanc druan. Roedd ei ddiffyg gafael ar yr iaith Saesneg wedi arwain at un camddealltwriaeth ar ôl y llall. Ar ben hynny, roedd y gwres llethol yn blino pob gewyn o'm corff.

'Un lle arall,' meddwn i wrtho, gan godi bys arno i wneud y pwynt.

Yn fuan wedyn, fe ddaethom hyd at damaid o barc agored

ar odre'r ddinas. Roedd yma dai, wal isel o'u hamgylch a chanddynt bobi ardd fach. Roedd drysau'r tai yn wynebu'r heol fel tai ym Mhrydain ac Ewrop. Fe ganodd y bachgen y gloch, a chyfarch y dyn a agorodd y drws. Dyma'r gât yn cael ei hagor.

Yn y tŷ tawel, dirodres hwnnw, mewn stafell yn y cefn ymhell o olwg y byd, aethpwyd â ni i wylio un o'r crefftwyr olaf yn Hama yn argraffu patrymau ar y brethyn gwyn. Eistedd ar y llawr yr oedd, a bocs heb gaead rhyw droedfedd a hanner o uchder o'i flaen. Roedd clwtyn wedi'i dynnu'n dynn dros y bocs a hoelion bach yn ei ddal rhag llithro. Roedd dysgl tu fewn i'r bocs a llond honno o'r lliw angenrheidiol. Dyma'r gŵr yn codi darn o bren oedd â phatrwm drosto a tharo'r clwtyn yn ysgafn â gwaelod y darn. Fe suddodd peth inc i'r clwtyn wrth iddo gyffwrdd â'r inc a gwlychu gwaelod y darn pren yr un pryd. Ar bwys y bocs a'r ddysgl inc roedd y lliain wen wedi'i thaenu dros ford isel. Gosododd y crefftwr y pren ar y lliain wedyn, a gwasgu. Pan gododd e'r pren, lliw gwyrdd eithaf anniddorol oedd y patrwm yr oedd wedi'i wneud. Rhaid bod esboniad am hynny, meddwn i wrth fy hun. Fesul un, fe ddewisodd y crefftwr ddarnau pren ac arnynt wahanol batrymau. Gan weithio'n chwim ac yn graff, creai fosäig cytbwys o flaen ein llygaid a hynny heb na llathen fesur nac ongl.

Ces ar ddeall mai'r gŵr arbennig hwn oedd yn gwneud ei inc ei hun a hynny gan ddewis llysiau mân ar y waun nepell o'r tŷ ac ar lannau'r afon. Mi ofynnais iddynt pa lysiau oeddent, ond byddai eisiau gwybodaeth arbenigol o'r iaith Arabeg a geiriadur dibynadwy i ddod i ben â'r esboniad manwl. Bu tawelwch wedyn. Roeddwn i wedi blino. Cynigiais brynu darn o'r brethyn enwog ganddynt o ran cwrteisi. Gallwn ei ddefnyddio fel llen ar y ffenest gartref. Byddai rhaid i fi gychwyn yn eithaf cyflym i ddal y bws nawr, felly dyma fi'n codi ar fy nhraed i ffarwelio â'r cwmni.

Fe gododd y crefftwr yntau ar ei draed gan afael yn y darn o frethyn yr oedd wedi bod yn ei addurno.

'Hwdwch,' meddai, 'ewch â hwn gyda chi â chroeso!'

Roeddwn i'n falch iawn o'r cynnig, ond rywle tu fewn yr oedd tinc bach o siom yn lliniaru'r pleser; byddai'n well gen i gael darn ac arno batrymau trawiadol, duon na'r patrymau gwelw, disylwedd braidd oedd wedi'u gwneud ar y darn hwn. Roedd y crefftwr yn chwifio'i freichiau ac yn esbonio rhywbeth pwysig bellach. Fe gafodd y llanc ifanc ail wynt yn sgil y llwyddiant mawr, a dechrau cyfieithu.

'Rhaid gadael hwn yn llygad yr haul am wythnos iddo fe gael gwynnu,' meddai gan ddod o hyd i'r geiriau priodol yn gampus. Ac ychwanegu:

'Cofiwch ei olchi yn yr afon wedyn.'

Mi addewais y byddwn yn siŵr o wneud.

Aeth y bws â fi i ddinas Aleppo y noson honno. Erbyn imi ymgymryd â'r daith roedd yr haul yn dechrau cilio ac, wedi agor y ffenest, deuai chwa o awyr iach i gysuro'r teithwyr. Tirwedd wastad, ddinodwedd braidd oedd bob ochor i'r heol. Mi gysgais.

Y noson honno, wedi cyrraedd y gwesty yn Aleppo yn ddidrafferth yn ôl y trefniadau, agorais fy mhac a thynnu brethyn Hama allan er mwyn edrych arno. Roedd yr inc wedi tywyllu gryn dipyn a'r patrymau'n fwy eglur hefyd. Efallai mai'r golau sy'n wahanol nawr, meddwn i wrth fy hun. Es â'r defnydd draw at y ffenest. Roedd y patrymau wedi troi'n lliw gwyrdd tywyll, fel pinwydd. Ac erbyn nos, roeddwn i'n bendant bod yna ryw ystyr hud. Roedd y lliw wedi troi'n ddu fel plu'r frân.

Ers derbyn enghraifft o'i waith yn rhodd gan y crefftwr olaf yn Hama, bûm yn byw mewn llawer o dai a defnyddio'r brethyn fel llen ar y ffenestri. Fe fu gen i yn y tŷ yn Baile na mBroghach ger Spiddal yn Iwerddon lle magwyd fy mhlant.

Bu gen i yn Nhref-fach, Llanwenog ger Llanybydder am
bedair blynedd. Erbyn hyn, dyna sydd ar y ffenest yn y Borth,
ond dim ond yn ystod yr haf: llenni trwchus sydd orau ar lan
y môr pan fydd gwynt y gaeaf yn pwnio'r drysau a'r ffenestri.
Byddaf yn golchi'r brethyn unwaith y flwyddyn, ond haul, dŵr
poeth a sebon neu beidio, dyw'r gwaith argraffu y gwelais y
brawd yn ei wneud i fi yn Hama ddim wedi pallu na ffado
y dim lleiaf yn y byd. Gresyn na fu'n bosib cofnodi enwau'r
llysiau oedd wedi cael eu cymysgu i greu'r inc hudolus. Am
rai blynyddoedd bûm yn ystyried mynd yn ôl i Hama i geisio'r
wybodaeth. Ond daeth tro ar fyd. Bu cyflafan yn Syria eto. Ar
lannau'r nant yn y cwm ger y tŷ, mae llysiau mân dienw yn
tyfu heb neb i'w hel, heb neb i'w trin a'u trafod.

Merched yn Rhedeg
yn y Gwyll yn Ninas Hama

ROEDD HI'N DYWYLL iawn. Prin bod unrhyw olau i'w weld ar y stryd. Roedd y palmant yn anwastad a rhai o'r llechi wedi torri. Chwilio am rywle i fwyta yng nghwmni fy nghydymaith yr oeddwn i ar lannau afon Orontes yn ninas Hama. Roeddem wedi mynd ar gyfeiliorn. Cuddiai'r afon tu ôl i'r coed gan ei gwneud hi'n anodd dilyn y ffrwd. Roedd yr awel gref yn cynhyrfu'r dail gan ddrysu sŵn yr afon a chipio oglau'r dŵr oedd wedi bod yn arweiniad inni hyd yn hyn. Safasom yn llonydd yn ein hunfan er mwyn gwrando. Ni chlywem mo'r *nouria* bellach, yr olwynion pren enfawr sy'n troi ers canrifoedd er mwyn dyfrhau'r gerddi cyfagos, a'u cledrau'n gwichian a bwrw wyneb y dŵr bob yn glatsh wrth droi. Ble roeddem ni? Gwell ceisio man golau a diogelwch canol y ddinas na mynd i drafferth yn yr anialwch.

Wrth inni gychwyn allan y noson honno, roeddem wedi sylwi wrth ddilyn ein llwybr fod y dynion yn ein cyfarch yn Rwseg. Roedd hynny wedi aflonyddu arnaf. Gwyddwn fod merched o Rwsia yn arfer cynnig pleser eu cwmni i'r dynion lleol er mwyn talu am gostau teithio a llety, a golygai hynny fod llawer o'r arwyddion yn y siopau ac yn y gwestai wedi'u hysgrifennu yn Rwseg. Nid oedd pethau lawer saffach yn y gwestai eu hun. Byddai'r dynion yn gadael eu drysau ar agor ac yn cadw llygad ar y mynd a dod ar y stâr gan feddwl bod 'cariad' ar gael dim ond iddynt guro ar ddrws un o'r twristiaid. Am resymau tebyg, roeddem yn gyndyn iawn i holi'r sawl y digwyddem gwrdd â nhw yn y tywyllwch am gyfarwyddiadau i fwyty. Mil gwell gennym beidio â datgelu ym mhle roeddem yn lletya nac i le roeddem eisiau mynd, felly clwydo'n gynnar fyddai hi unwaith eto heno, swper neu beidio.

Bu rhaid inni gamu i'r neilltu i adael i grŵp o fenywod fynd heibio inni. Roeddent yn gwisgo mentyll hirllaes duon ac roedd eu pennau wedi'u cuddio. Cyn inni eu gweld, roeddent ar ein gwarthaf. Menywod yn eu hoed a'u hamser oeddent heblaw am ddwy ferch iau oedd yn gwisgo cotiau llwyd. Wrth ochrau'r menywod, cerddai'r ddau lanc oedd yn eu hebrwng. Crysau gwynion y ddau lanc yn disgleirio yn y gwyll a welsom ni gyntaf. Aethom yn ein blaen wedyn, a rhyw ddiflastod yn dod drosom am ei bod yn hwyr a ninnau ar ein cythlwng a gwaith cerdded o'n blaen.

A dyma glywed llais yn ein cyfarch yn Saesneg. Wrth droi i weld pwy oedd wedi gweiddi arnom, fe welsom y ferch ifanc yn ymwahanu o weddill y grŵp. Roedd yn amlwg ei bod ar dân eisiau siarad â'r ddwy ddynes ddierth oedd yn cerdded fin nos heb neb i'w hebrwng. Tua dwy ar bymtheg oed oedd hi, ac roedd hi mor denau â rhaca. Bu tawelwch anniddig am ennyd. Rhaid ei bod yn ceisio cofio ei mymryn Saesneg. Gwisgai benwisg wen a honno wedi'i lapio o amgylch ei gwddwg, a'r darlun at ei gilydd yn gwneud iddi edrych fel lleian. Pefriai ei llygaid. Erbyn hyn roedd y grŵp i gyd wedi ymgynnull o'n cwmpas.

'Are you lost? May we help?' meddai'r ferch ifanc.

Cyn inni gael cyfle i ddweud gair, dyma'r gwragedd i gyd yn heidio o'n cwmpas fel adar drudwy gyda'r machlud a phob un yn mynnu i'r ferch ofyn rhyw gwestiwn arall inni. Fe dawelodd y clebar yn sydyn ac aeth y ferch ati'n bwyllog i gyfieithu o'r Arabeg. Doedd dim eisiau hynny a dweud y gwir achos gallwn ragweld beth fyddai'r cwestiynau. Cawsent wybod gennym ble oedd ein gwŷr ni, a faint o blant oedd gyda ni, a sut yn y byd y digwyddodd inni fod ar daith heb neb i'n hebrwng. Rhyw greaduriaid anwaraidd oeddem yn wir, yn eu tyb nhw. Doedd dim pall ar yr holi, a ninnau'n teimlo'n wan eisiau bwyd. Dangoson nhw'r ffordd inni o'r diwedd, ac wedi diolch iddynt am eu cymorth dyma ni'n meddwl cychwyn eilwaith cyn i'r bwytai gau eu drysau.

Llef arall! Roedd y ferch a'i chwaer yn brysio tuag atom eto bob yn gam bach gweddus, a'u cyrff anystwyth yn gwegian. Dalient eu gwisgoedd uwch eu traed ag un fraich rhag baglu drostynt, a rhwyfo gyda'r fraich arall er mwyn cadw cydbwysedd. Roeddent wedi cael caniatâd i'n hebrwng hyd at yr afon. Dyna gyfle heb ei ail i holi merched ifainc y wlad am eu bywyd yn Syria o dan drefn Sosialaidd. Pur anaml y gellir sgwrsio â menyw yn ddirwystr yn Syria, fel yn y gwledydd Moslemaidd at ei gilydd, a dyna'r tro cyntaf i fi siarad yn iawn â merched coleg.

Gafaelodd yr un gyntaf yn fy llaw yn annwyl a'i gwasgu at ei mynwes. Roedd hi dros ei hugain oed! Synnais nad oedd hi wedi priodi. Roedd hi'n mynychu'r coleg, ac roedd chwant trafaelu arni. Ond doedd dim perygl y byddai'r fath beth yn digwydd.

'Perhaps, when my brothers are older or I am married,' meddai a'i Saesneg yn gwella gyda phob brawddeg, 'I will be able to see London. It is my dream.'

Safodd yn stond a dal ei gwynt yn ei dwrn.

'Does dim anrheg gyda fi i chi.'

'Pam dylech chi roi anrheg inni?'

Dywedodd y naill rywbeth wrth y llall dan ei dannedd, a dyma'r ddwy'n twrio yn eu pocedi. Tynnu ysgrifbin pinc a melyn allan wedyn, a macyn glân yn ei blyg ac arno sawr blodau.

'Cymerwch, da chi,' meddai, 'dyna i gyd sydd gen i!'

Derbyn fu rhaid dan wenu.

'Diolch o galon.'

Aethom ymlaen lawlaw â'n gilydd fel plant ysgol feithrin. Dywedodd fy nghyfeilles wrthyf fod diddordeb mawr gyda hi ym myd chwaraeon. Dyna beth oedd syndod i fi. Pryd fyddai hi'n cael cyfle i wneud ymarfer corff yn ninas Hama a'r merched yn rhwym i gymaint o gyfyngiadau?

'Ar iard y coleg,' meddai. 'Mae wal fawr o'i hamgylch. Does neb yn gweld. Rhedeg dw i'n licio orau.'

Dyma fi'n dychmygu dosbarth o ferched oedran coleg yn rhedeg o gwmpas yr iard yn eu gwisgoedd hirllaes tywyll fel carcharorion yn cael treulio hanner awr yn yr awyr iach.

'Ai gwir fod menywod yn y gorllewin yn cael rhedeg ar y strydoedd hyd yn oed?'

'Wrth gwrs, os ydyn nhw eisiau gwneud.'

Roedd ei llygaid yn fflachio.

'A fyddech chi'n licio rhedeg gyda fi nawr ar hyd y stryd yma?' meddai.

'Wna i.'

A rhedasom hanner can metr hyd at bont yr afon. Roedd hi'n chwerthin ac yn llawenhau, ei llaw'n dal ei gafael yn dynn yn fy llaw i, ei phais hir yn siffrwd ac yn cydio yn ei choesau nes inni faglu a straffaglu a brasgamu yn afreolus i lawr y llethr a hithau'n teimlo rhyw wefr ddirgel yn cwrso trwy'i gwaed, a rhedeg yn erbyn ei thynged gyda'i chwaer o'r gorllewin pell. A blasu 'rhyddid' am y tro cyntaf.

Ymweld â'r *Hammam* yn Namascus

MAE 'AL SHAM' yn hen enw ar Ddamascus. 'Y ddinas hardd' yw ystyr hynny. Ganrif yn ôl, ac i raddau llai helaeth tan yr 1930au a hyd at ganol y ganrif ddiwethaf, roedd gerddi lawer yn y ddinas, mannau gorffwys ar lannau afon Barada, a thai te – *chaikhana* – i ffoi iddynt rhag twrw'r byd ac ymlacio am ennyd awr. Lle hoff gan bawb oedd Damascus ers llawer dydd. Erbyn hyn, gwelir yr ysbwriel yn araf lifo heibio ar wyneb y dŵr. Mae dinas newydd wedi codi i herio'r cymylau. Mae hen orsaf reilffordd Hejaz yn wag, ac mae rhwd ar y canllawiau. Ychydig iawn o'r hen strydoedd cefn a'r aml gilfachau sydd ar ôl. Llai na hanner yr hen dai dwyreiniol sydd heb eu dymchwel. Rhwng y farchnad a mosg yr Umayyad mae'r tir wedi ei glirio yn gyfan gwbl. Mae ffyrdd swnllyd yn rhwygo'r hen ddinas yn ddarnau mân.

Hwnt ac acw mae ambell i lecyn digynnwrf yn gwrthsefyll y prysurdeb a'r newid oes. Ond hyd yn oed ar yr ynysoedd hynny, clywir hwmian y traffig yn lled agos. Eto i gyd, cewch ymadael â'r ddinas newydd a dilyn y llwybrau i glwstwr o dai lle mae'r holl stŵr yn darfod. Camu ar hyd un o'r strydoedd cefn igam-ogam lle mae wal o feini uchel bob ochor i chi. Cewch gysgod rhag y gwres yn y fan hon. Lle i ddau asyn basio ei gilydd yw lled yr heol. Ni all cerbyd mo'ch dilyn. Cewch lenwi'ch ysgyfaint ag oglau byd sy'n prysur ddarfod. Am y tro, mae'r meini anferth ym môn yr hen adeiladau yn cadw'r cacoffoni draw. Cewch glywed lleisiau'r plantos yn gweiddi'n afieithus ar ei gilydd. Ble maen nhw? Yn chwarae mig yn y plethwaith o lonydd culion. Cewch glywed aderyn yn tiwnio ar gainc yn y berllan dwt. Annhebyg y gwelwch neb. Ond fe wêl pawb y chi.

137

Mae ffenestri stafelloedd y merched uwch eich pen, ac ar y balconi pren onglog ar y gornel mae llygaid craff yn gwylio'r byd. Eistedd ar feinciau pren ac ar glustogau mawr ar lawr y mae'r merched, gan synhwyro'r llanw a thrai yn y lonydd cyfagos wrth i'r diwrnod fynd yn ei flaen yn ddigyffro. Perthyn i'r dirgelwch y mae'r merched, perthyn i fyd ffurfiol lle mae cwrteisi a moesgarwch traddodiadol yn rheoli ymddygiad yr unigolyn. Yn y byd hwnnw, nid wynebu'r stryd y mae drysau'r tai, ond agor ar sgwâr bach mewnol. Yng nghanol y sgwâr mae pistyll. Tri llawr sydd i'r tai. Nesaf at yr iard mae'r stafelloedd gwely.

Ond nid i dynnu sylw'r merched cudd a'r plant llygadrwth yr oeddwn i wedi dilyn y llwybr hyd at y fan hon. Anelu am yr *hammam* yr oeddwn, sef y baddondy. Dyna ble mae'r bobol yn treulio eu horiau hamdden i ddianc rhag y mân gecru ar yr aelwyd. Dyna ble mae'r sibrydion diweddaraf yn cael eu hailadrodd, a gair i gall yn cael ei fynegi. Mae amser penodol i'r dynion fynd yno, ac mae'r oriau a neilltuir iddynt hwy yn hael. Rhaid i'r merched fodloni ar eu cyfle tua dwywaith yr wythnos.

Ymlwybrais i'r baddondy ar yr adeg briodol felly i ymuno â rhai o ferched Al Sham. Anodd iawn oedd cael hyd i'r fynedfa. O'r diwedd, mi ddes o hyd iddi: porth cul rhwng dwy siop, a llen yn hongian drosto. Wn i ddim a oedd arwydd o ryw fath yn dynodi'r lle, ond roedd y geiriau Arabeg yn cyfeirio at bethau eraill hyd y gwelwn. Mi dynnais y llen yn ôl a gweld bod stâr yn arwain i lawr i grombil yr adeilad o'r trothwy. Ar waelod y stâr roedd stafell helaeth ac iddi nenfwd isel. Lliw glas oedd i'r paent ar y welydd a hynny'n ychwanegu at y tywyllwch naturiol. Roedd meinciau pren ar hyd y wal. Gyferbyn â'r meinciau, yn y gongl bellaf, roedd menyw yn eistedd wrth ford bren ar ei phen ei hun. Fe'm cyfarchodd.

'Salâm 'aleicwm.'

'Wa-'aleicwm as-salâm,' meddwn i, ac aros iddi fy arwain at yr olchfa.

Priodolwyd lle i fi ar y fainc, a silff ar gyfer fy mhethau, ac wedyn fe'm harweiniwyd yn ddileferydd i'r stafelloedd dŵr gan y ddynes.

Unwaith eto roedd grisiau go serth yn arwain i lawr o'm blaen. Erbyn hyn roeddwn yn ddwfn o dan y palmentydd a'r hen ddinas fry. Ymlaen â fi gan ddilyn y coridor. Ar bob ochr i hwnnw roedd un bwa ar ôl y llall a stafelloedd bychain tu fewn iddynt. Roedd cynllun y baddondy fel cwch gwenyn, a theimlwn y gwres yn codi wrth i fi dreiddio i berfeddion yr *hammam*.

Ymddihatryd a hongian fy nhrowsus a'm blows ar hoelen rydlyd wnes i wedyn tu fas i'r drws cyntaf. Ac i mewn â fi. Roeddwn wedi tynnu popeth heblaw am fy mhants. Doeddwn i ddim yn wybodus iawn am arferion y lle, felly arhosais yn fy unman, nid yn swil ond yn ddiamcan braidd, a chiledrych i mewn i'r crochan stemllyd.

Roedd gwydr lliw ar osod yn y nenfwd crwn a hwnnw'n bwrw golau melyn dros y llawr a'r parwydydd oddi tano. Roedd y nenfwd yn uwch na'r coridor a'r stafell wisgo. Neuadd fechan yng nghroth yr hen ddinas oedd hi, a'i phedair wal fel craig yr oesoedd. Roedd calon y baddondy yn hardd ac urddasol. Teils marmor oedd ar y llawr yn lle'r concrit diolwg oedd yn sangfa yng ngweddill yr adeilad. Roedd y dŵr yn llifo'n berseiniol mewn cafnau marmor ar hyd y wal. Codai'r ager yn gawodydd yn y fan a'r lle, a sylwais yn y gwyll mai ychydig o ferched eraill oedd yn gwmni i fi. Roedd un ohonynt yn bur oedrannus, ac eisteddai ar lawr a'i choesau ar led. Doedd dim blewyn ar ei chroen, ac roedd gwallt ei phen yn denau. Syllodd arnaf a'r stêm yn cronni'n ddiferion mawr ar ei sbectol drwchus, afrosgo. Ym mhen isaf y stafell roedd cysgodion yn symud yn y niwl. Gwelwn forynion ifainc yn eu harddegau a gwisg laes amdanynt hyd at y pigwrn. Efallai fod y wisg yn fodd iddynt ddygymod â'u cywilydd, ond doedd hi ddim yn cuddio fawr o gyfrinachau'r corff.

Safai dynes fer o gorff o'm blaen. Roedd hi'n gweiddi arnaf nerth ei thafod. Roedd ychydig o ddillad isaf am ei chorff, a'i gwallt yn wlyb diferu ac wedi'i glymu'n fwlyn anniben. Ni ddeuai dim pall ar ei siarad mawr, a'i dwy fraich hwythau erbyn hyn yn ychwanegu at y mynegiant anghyfiaith. Syllu arni fel llo oedd yr unig beth y gallwn ei wneud. Pan bwyntiodd hi at y llawr wedyn, deallais o'r diwedd mai hon oedd y *masseuse* ac mai dilyn ei chyfarwyddyd hi oedd rhaid, awydd neu beidio. Gorwedd ar fy hyd ar lawr wnes i felly. Gwelwn ryw fochyndra go debyg i boer ar y wal ar y naill law, ac ymlusgais tua chanol y llawr yn dawel bach. Roedd y nenfwd ychydig yn is eto yn y fan hon, a'r hen ddŵr a'r trochion ych-a-fi yn llifo tua'r pwll yn y gwaelod wedi i wragedd Damascus gael eu sgwriad wythnosol ynddo. Dyma blaster yn hwylio ymaith tua'r cwteri.

Aw! Roedd y *masseuse* wedi fy nharo â'i maneg nerth bôn ei braich. Roedd y faneg – clwtyn cwrs pwrpasol – yn ferw o sebon hefyd, a dyma hi'n ymroi i sgwrio fy nghorff nes bod y croen diffrwyth i gyd wedi'i lanhau a'r croen iach, hoenus yn sgleinio fel sosban newydd. Ymhen rhyw funud neu ddwy, mi fentrais agor cil fy llygad a gweld yr hen groeniach yn drwch dros y faneg fawr. Wedi fy nigroeni, dyma hi'n dechrau pwnio fy nghlopen â'i bysedd nerthol, fel petai'n tylino padellaid o does. Tynnodd fy ngwallt o'r gwreiddiau nes bod fy mhen yn gwingo ac yn dân i gyd. Roedd arnaf ofn na fyddai dim blewyn ar ôl ar fy nghorun druan. Ofnwn y byddwn yn llewygu, a holais fy hunan a fyddai fy mholisi yswiriant yn cynnwys anaf neu salwch yn sgil *massage* gor-frwd a thriniaeth arw mewn baddondy.

Ar ôl i'r ddefod orffen, fe orchmynnodd y *masseuse* i fi

arllwys dŵr oer o'r cafn drosof gyda dysgl fach. Ond ni allwn godi fy mys bach. Roeddwn i wedi ymlâdd. Yn araf bach, codais ar fy nhraed ac arllwys ffrydiau o'r dŵr crisial dros fy nghnawd rhuddgoch. A theimlo'r chwys a'r tân ar fy nghroen yn hisian ac yn oeri. Mi es i orwedd am sbel fach wedyn i adfer fy nerth. Daeth rhai o'r gwragedd eraill i bigo sgwrs â fi. Roeddwn i'n gyfarwydd â'r cwestiynau oll sy'n cael eu gofyn i ddynes ddierth yn y gwledydd Moslemaidd.

'Ydych chi'n briod?' meddent gan ddangos y modrwyon ar eu bysedd.

'Faint o blant sydd gyda chi?'

Codi dau fys wedyn, a dangos uchder y plant un â phob llaw i ddynodi eu hoedran.

'Ble mae eich gŵr?'

Roedden nhw mewn tipyn o benbleth pan eglurais fy mod yn trafaelu ar fy mhen fy hun. Pa fath o ŵr fyddai'n gadael i'w wraig grwydro'n ddigwmni a hynny mewn gwlad estron? Roedd y syniad yn un cwbl ddierth iddynt. Byddai hynny'n golygu, yn eu byd nhw, fod y gŵr yn amharchu ei wraig. Daeth taw ar yr holi wedyn.

Yn y stafell allanol, wrth i fi wisgo ac ymgeleddu, mi welais yr hen ferch fu'n eistedd ar lawr y baddondy gynnau. Adnabyddais i mohoni ar yr olwg gyntaf. Roedd hi'n barod i fentro mas i'r byd unwaith eto a chlogyn du yn ei gorchuddio o'i phen hyd at ei sodlau. Dim ond ei hwyneb a welwn, a'i llygaid wedi tyfu'n annaturiol o fawr tu ôl i'r sbectol drwchus. 'O ble mae hon wedi dod, ysgwn i?' meddai'r llygaid yn huawdl. Ac i ffwrdd â hi. Ymhen chwarter awr, roeddwn innau wedi ymadael â'r *hammam* hefyd, fy nghroen yn llyfn fel sidan a'm synhwyrau i gyd wedi'u bywhau. 'Coffi!' meddwn i wrth fy hunan. A'i throi tua thref. A dyna'r diwrnod y bûm yn yr *hammam* yn ninas chwedlonol Al Sham.

Castell Crac des Chevaliers
ger Dinas Homs

ANODD CREDU MAI hap a damwain oedd i fi ymweld â Crac des Chevaliers – Caer y Marchogion – yr eilwaith. Y tro cyntaf i fi fynd, mi ges fy syfrdanu gan yr adeiladwaith cadarn, cymhleth ac uchelgeisiol, a chan y ffaith nad oedd y strwythur wedi dirywio rhyw lawer yn ystod y canrifoedd. Yn ystod cyfnod llywodraeth y Ffrancwyr yn Syria tua dechrau'r ugeinfed ganrif, cafodd peth gwaith adnewyddu ei wneud ar y muriau, ac yn sgil hynny roedd llawer o fyd Urdd y Temlyddion i'w weld yn blaen ac yn ddiamwys eto. Naws Gothig oedd i Neuadd y Marchogion, a hynny oherwydd bod y meini wedi cael eu haddurno'n goeth ac yn gywrain iawn. Hwnt ac acw yn y rhodfeydd rhwng y gwahanol siambrau roedd olion petheuach bob dydd heb eu dileu gan dreigl hanes: cerwyni mawr ar lawr y seleri helaeth lle roedd cegin yn arfer bod, a rhes o latrinau maen yn y pen isaf. Yn y clos tu allan roedd basnau marmor o'r hen *hammam* ar eu hyd ar lawr a'r chwyn yn tyfu'n drwch drostynt.

Pan oedd grym y marchogion ar ei anterth yn y drydedd ganrif ar ddeg, roedd Crac des Chevaliers yn gartref i 2,000 o filwyr, ac roedd arglwyddi'r gaer yn codi trethi ar draws y dyffryn ffrwythlon islaw. Mae'r castell yn gawr hyd heddiw, a chorrach o beth yw'r pentref Cristnogol wrth fôn yr allt lle mae porth y castell yn ymagor. Cynlluniwyd y castell yn gyfrwys i groesawu pob cyfaill ond i gamarwain pob gelyn. Mae'r porth allanol yn arwain lan y rhiw serth, droellog at borth mewnol oddi mewn i'r muriau. Yn y fan honno, mae'r ffordd yn ymwahanu'n ddau lwybr. Mynd i'r llys mae'r naill. Twyllo'r gelyn dros y dibyn mae'r llall.

Pan oeddwn yn Syria am yr eildro, fe ddigwyddodd i fi glywed sôn am gastell go debyg, Qala'at al-Hosn, yn y cyffiniau, a chael ar ddeall bod mynachlog ar ei bwys lle gallai'r trafaeliwr fwrw'r nos. A dyma fi'n cychwyn o Homs yn y bws bach, gan anelu at y gorllewin ac at y ffin â Libanus. Ar ôl awr fach, stopiodd y bws.

'Dacw Qala'at al-Hosn,' meddai'r gyrrwr wrthyf gan bwyntio â'i fys at gaer fawr ar ben bryncyn amlwg rhyw ddwy filltir i ffwrdd. Mas â fi, bant â'r bws a dyma ddechrau anelu at y castell ar hyd y ffordd fach gyfagos. Ond roedd teithiwr arall wedi disgyn o'r bws yr un pryd â fi, dyn lleol, a gwahanol nwyddau o'r dref wedi eu clymu wrth ei gilydd o dan ei gesail. Dyma hwnnw'n gwneud arwydd i fi aros lle roeddwn i. Mi wnes. Ac yn fuan wedyn, daeth bws bach arall i gwrdd â ni.

'Deir Mar Jirjis,' meddwn i cystal ag y medrwn yn fy nhipyn Arabeg bratiog.

Hyd y gwelwn, roedd y gyrrwr wedi deall byrdwn y neges. Bu trafodaeth fer wedyn rhyngddo a dau gyfaill oedd yn gwmni iddo. A chychwyn.

Erbyn inni gyrraedd pen yr allt, mi ges gyfle i lygadu'r tai yn y pant yn bendramwnwgl i gyd dan gysgod muriau unionsyth yr hen gastell urddasol. Yn y pant hwnnw, fe welwn y mynachdy hefyd. Dyna oedd y nod. Gwelwn y ffordd yn arwain i'r pentref o dan y graig tua milltir i ffwrdd, a dyma ddechrau llunio brawddegau yn fy mhen, ac ymarfer y geiriau y byddwn eu hangen pe na bai neb yn y fan yn medru Saesneg na Ffrangeg. Gadael fy mhac yn y stafell yn y fynachlog a mynd ar fy mhen i ymweld â'r castell – dyna oedd y cynllun. Disgynnodd fy nghyd-deithiwr ger porth y castell, a mynd â'i nwyddau o dan ei gesail, ond er braw a syndod i fi, nid troi i gyfeiriad y fynachlog ar hyd y lôn gywir wnaeth y gyrrwr wedi iddo ailgychwyn. Edrychodd y cwmni draw arnaf, a cheisio tawelu fy amheuon gan wneud yr ystumiau priodol ac amneidio arnaf. Priodol neu beidio, yn sydyn iawn roedd gweld tri dyn dierth, blewog yn chwysu yn y gwres ym mlaen y bws yn aflonyddu arnaf.

'Deir Mar Jirjis,' meddwn i eto.

Amneidio eto, a'r un ystumiau 'popeth yn iawn', a'r tri'n closio at ei gilydd yn un gragen gan wylio'r heol o'n blaen.

Ymlaen â'r cerbyd wrth fôn y castell, ac ar hyd y maes moel ar ben y mynydd. Malwoden ar daith oedd yr hen fws. Naill ai roedd rhywbeth o'i le ar y modur, neu roedd rhyw gynllwyn ar waith. Eisteddwn ar fy mhen fy hun yn y cefn fel geloden a'r tri'n mwmian sgwrsio ymhlith ei gilydd fel petaent wedi hen anghofio amdanaf. Tirwedd hesb a diffrwyth oedd o'n cwmpas, lleuad o le creigiog heb ddim diferyn o ddŵr. Roedd pob gronyn o bridd da wedi'i hen olchi i lawr i'r cwm mae rhaid, achos yn ôl yr hyn a welwn, fu dim cyfannedd yn y lle ers amser maith. O'r diwedd, ar ôl rhyw ugain munud, dechreuodd yr heol ymdroelli am i lawr, a chyrhaeddon ni ben y daith heb ddim amryfusedd. Wedi mynd â fi dros yr heol gefn yr oedd y gyrrwr, dyna i gyd, er mwyn codi pris uwch arnaf wedyn am ei amser.

Erbyn hyn roeddwn i eisiau bwyd, ac roedd hi'n bryd i fi chwilio am le i roi fy mhen i lawr yn y man. Mynd at ddrws y fynachlog oedd piau hi felly, i holi ynglŷn â llety. Mynach ifanc uniongred a agorodd y drws i fi, un o Syria, gŵr tal a surbwch braidd. Gwisgai fantell hirllaes ac ar ei ben roedd het uchel, a honno'n ychwanegu at ei daldra yn ormodol. Siaradai Saesneg yn dda. Doedd dim stafell ar gael, meddai. Roedd cynhadledd ieuenctid yn cael ei chynnal yn y fynachlog. Dyna newyddion pur anffodus. Byddai rhaid i fi aros mewn gwesty – roedd hi'n dechrau hwyrhau – ond roeddwn i'n brin fy arian. Teimlwn fy mod mewn penbleth, felly mi geisiais esbonio'r sefyllfa, a gofyn a oedd unrhyw obaith i fi gael lloches am noson. Yn ddiamynedd, fe wnaeth y mynach arwydd i fi ei ddilyn trwy'r cwrt hyd at stafell yn y prif adeilad.

Roedd cwrt y fynachlog fel pin mewn papur, ac anodd credu iddo fod yn dyst i wyth can mlynedd o hanes. Anhrefn a dirywiad sydd yn nodweddu adeiladwaith Syria yn aml, gwaetha'r modd, ond roedd enw'r hen lys hwn – *deil,* sef hafan – yn taro deuddeg. Wrth i'r mynach ymgynghori'n benisel â thri brawd hŷn, roeddwn i'n eistedd mewn neuadd fwyta yng nghanol rhesi o fordydd a meinciau pren. Teimlwn fy mod wedi camu'n ddiwahoddiad i mewn i olygfa o'r Oesoedd Canol. Wrth i'r pedwar sant fynd trwy eu pethau, daethpwyd â swper i fi – cig oen a reis. Mi es ati i fwyta'n weddus, ond wyddwn i ddim yn iawn beth oedd disgwyl i fi ei wneud nesaf. Roeddwn i ar fin dod i ben â'r pryd blasus pan ddaeth y mynach ifanc ataf unwaith eto ac, yn swta braidd, erfyn arnaf i'w ddilyn.

Allan â ni trwy'r porth, y mynach main yn brasgamu o'm blaen fel brân wyllt yn ei wisg ddu, a finnau a'm gwynt yn fy nwrn, dan bwysau fy mhac, yn gwneud fy ngorau glas i ddilyn ei gamre. Cyrhaeddon ni dŷ, tŷ a theras hyfryd iawn o'i flaen, a border bach o flodau pert o'i amgylch. Rhoddwyd allwedd yn fy llaw wedi i fi groesi'r trothwy, a gwelais mai gwesty bach twt a chwaethus oedd y tŷ. Baglodd fy nghalon. Allwn i byth â thalu am westy drud fel hwn. Llogi stafelloedd cwbl ddiaddurn yr oeddwn i wedi bod yn ei wneud ers dechrau ar y daith yn Syria, rhai ohonynt heb ddillad gwely hyd yn oed. Yn ddideimlad ddigon wedyn, ac, yn wir, yn lled ddirmygus, fe ddywedodd y frân ddu wrthyf mai dyletswydd y fynachlog erioed oedd cynnig lletu i'r sawl a'i mynno, a throi ar ei sawdl yn swta. Ni fyddai rhaid i fi dalu dim.

Bum munud ynghynt, roeddwn yn yr Oesoedd Canol, ond erbyn hyn, wedi agor drws fy stafell, dyma fi'n camu i mewn i

ffantasi o Hollywood. Roeddwn i'n disgwyl stafell gapelaidd,
lom, ond dyma *suite* blodeuog o flaen fy llygaid, a chyrtens
pinc hyd y llawr yn donnau llaes a chostus. Roedd y ffenest
yn un fawr, un anghyffredin o fawr yn Syria, ac fe wnâi ffrâm
berffaith i olygfa o'r hen gastell ar y graig fawr draw. Roedd
drws o'r neilltu yn arwain at stafell ymolchi *en suite* a'r welydd
a'r llawr yn deils marmor gwyn. Diflas iawn yn wir! Roedd yn
gas gen i beri trafferth a chostau i'r fynachlog, ac roedd y ffaith
nad oedd y mynachod wedi ystyried fy nymuniadau personol o
gwbl yn amharchus braidd. Gwell gen i fyddai bod wedi dod o
hyd i stafell yn y pentref ar bwys y castell.

Er mwyn talu'r pwyth, mi benderfynais mai cerdded draw
i'r castell fyddai orau a cheisio cyfnewid rhai o'r sieciau teithio
oedd gyda fi. Pan fydd neb yn fodlon derbyn cardiau credyd, a
chan nad oes twll-yn-y-wal ym mhob man yn y Dwyrain Canol,
mae'r sieciau hen ffasiwn hyn yn saffach na llond poced o arian
parod, er bod rhai'n gyndyn i'w derbyn tu allan i'r canolfannau
twristiaeth mawr. Ond ceisio cyfnewid siec neu ddwy fyddai
orau, a chyfrannu at gostau rhedeg y fynachlog, pe derbynnid
rhodd neu dâl.

Er mawr syndod i fi, des i ben â chyfnewid y sieciau'n
ddidrafferth wrth borth y castell. Roedd y stondinwyr yn
gyfarwydd â'r arfer. Fu dim o'r amheuon yr oeddwn i wedi eu
hwynebu ar adegau eraill – yn y banc, er enghraifft! Roedd cael
peth arian yn fy mhoced wedi adfer fy hyder, a bwrw cysgod y
mynach blin ymaith, ac mi fwynheais sgwrs â'r marsiandïwyr
wrth y porth. Holais am enw'r castell, gan synnu nad oeddwn
wedi sylwi ar fodolaeth castell mor nodedig y tro diwethaf i fi
fod yn y wlad.

'Qala'at al-Hosn,' meddai'r marsiandïwyr, gan feddwl mai
peth od iawn oedd i fi gyrraedd y castell o gwbl a finnau mor
anwybodus.

Mi es drwy'r porth, ac adnabod y castell yn syth. Onid

dyma'r un porth a welais gynt, a'r llwybr yn codi'n serth yn y golau pŵl, a'r cerrig crwn yn y palmant wedi treulio o dan sawdl, carn a rhod ers canrifoedd nes eu bod yn llyfn ac yn sgleinio fel gwydr? Qala'at al-Hosn oedd yr un castell â Crac des Chevaliers, Caer y Marchogion! Roeddwn i wedi bod yn cynllunio fy nhaith heb lawlyfr, mynd o lech i lwyn heb ddim rhaglen bendant, ac yn ôl y cyfarwyddyd y byddai hwn a'r llall yn ei roi i fi ar y ffordd. A dyma fi wedi methu gwneud y cysylltiad rhwng y ddau enw, un Ffrangeg ac un Arabeg, fel petai twrist yng Nghymru yn mynd i Aberhonddu un flwyddyn a meddwl mynd i Brecon y flwyddyn ganlynol, neu i Abergwaun ac wedyn i Fishguard. Roeddwn i'n teimlo'n eithaf hurt, ac ar ben hynny roedd y peth yn siom. Ond i mewn â fi i Qala'at al-Hosn, wrth gwrs.

Cyn pen dim, roedd gŵr canol oed, gwenci fach slei, wedi dechrau fy nghysgodi. Doeddwn i ddim yn awyddus i gael fy hebrwng gan neb, ond ofer fu pob ymdrech i gael gwared â hwn. Doedd dim amdani ond ei anwybyddu felly, a mynd i grwydro yn y castell. Ymhen hanner awr, roedd e'n dal yn dynn wrth fy sodlau, a doedd dim gwerth smalio nad oeddwn yn ei weld. Gan fy mod yn hoff o gronfeydd dŵr ar safleoedd archeolegol, ac wedyn gan fod lleoliad y gronfa ddŵr yn Crac des Chevaliers yn dal yn ddirgelwch i fi, mi gynigiais i'r wenci ddangos y ffordd i fi, gan ei fod fel geloden ar fy nghroen ta p'un.

Yr oedd y grisiau'n llithrig iawn ar y stâr, a'r cerrig yn slic. Gwaetha'r modd, roeddwn i wedi gadael fy lamp yn y gwesty – yn Hollywood ger y fynachlog. Stopiais am funud fach i adael i'm llygaid gynefino â'r tywyllwch. Roedd welydd y tŵr wedi'u plastro, ac ymhell uwch fy mhen gwelwn ffenest fach fel llygad yn y talcen. Treiddiai golau o'r ffenest yn un pelydr tua pherfeddion y gronfa, lle cysgai'r dŵr yn llonydd. Yn yr amser gynt, y cronfeydd dŵr a gynhaliai fywyd lle bynnag yr oedd cymdeithas yn ymffurfio tu hwnt i'r cymoedd ac ymhell o'r afonydd, ac felly y mae hyd heddiw. Gorweddant fel trysorau cudd yng nghrombil y ddaear a'r mynydd, yn llawn addewid a gwefr. Pan ddaw'r glaw mawr a'r stormydd wedyn, agorant eu breichiau fel merch wedi hir ddisgwyl am ei chariad, llyncu'r cawodydd nwyfus a chadw'r gyfrinach yn eu côl i drechu'r sychder a'r diffrwythdra pan fydd hi ddim wedi bwrw glaw am flynyddoedd. Ar y grisiau oedd yn arwain at y dŵr mi ddychmygwn sŵn llanw a llifo, llestri hirgrwn pridd, sibrydion cyfrinachol, y menywod yn cario piseri ar eu pennau a'u gwallt yn diferu wrth iddynt gamu o'r tywyllwch i'r haul.

Gan ddal fy ngafael yn ofalus yn y wal, dechreuais ddringo'r grisiau, a sylweddoli bod y wenci wrth fy sawdl ar hyd yr adeg. Roedd gwell golau tua phen y grisiau, a gwelwn y porth isel oedd yn arwain i'r buarth. A dyna pryd y teimlais law yn braidd gyffwrdd â'm pen-ôl. A'r llais, yn gryf ei acen: 'Very nice.' Cyn pen dim, roeddwn i'n sefyll ar y stryd unwaith eto tu allan i'r porth chwedlonol. Gwaith chwarter awr oedd hi yn ôl i westy'r fynachlog ar hyd yr heol wledig. Doedd neb i'w weld. Wrth ddychwelyd i'r stafell, des o hyd i neidr ddu yn farw ar draws y ffordd, neidr ddu tua'r un hyd â fy nghoes a'r un trwch â'm harddwrn, a'i phen wedi'i dorri i ffwrdd.

Castell Sahyun – Antur ar Foto-beic

Yn ystod yr haf yn y flwyddyn 1909, bu'r Sais enwog T. E. Lawrence, gŵr ifanc ugain oed, yn crwydro Syria am dri mis. Fe aeth i archwilio hen gestyll y wlad, a gwneud darluniadau o gadarnleoedd marchogion y Croesgadau yn y drydedd ganrif ar ddeg. Ffrwyth yr ymchwil oedd traethawd dan y teitl *The Influence of the Crusades on European Military Architecture – to the end of the 12th century.* Enillodd y traethawd hwnnw radd dosbarth cyntaf iddo ym mhrifysgol Rhydychen. Ymhlith y sylwadau mae Lawrence yn eu gwneud yn ei waith mae'r frawddeg drawiadol hon am gastell Sahyun, neu Saône yn iaith y marchogion: 'It was I think the most sensational thing in castle building I have seen,' meddai.

Mae adfeilion niferus yn codi'n fud ond yn huawdl o'r graig ar draws Syria, felly roedd sylwadau Lawrence wedi tanio fy niddordeb. Beth oedd mor arbennig am gastell Sahyun? Cerdded yr oedd y Sais anturiaethus wedi'i wneud yn 1909, ond nid dyna oedd fy mwriad i. Er hynny, roedd cyrraedd Sahyun yn gymhleth gan mlynedd ar ôl y myfyriwr ifanc, cerdded neu beidio. Roedd y cymal cyntaf yn ddigon hawdd, fodd bynnag, sef mynd allan o dref Lattakia. Eistedd yn amyneddgar yn un o'r bysus bach gwyn sy'n mynd a dod wrth y galw, dyna sydd eisiau. Wedi iddo gael digon o gwsmeriaid, bydd y gyrrwr yn cychwyn.

Mynd i gyfeiriad Al-Haffah oedd fy nod, sef tref fechan tua 20 milltir i'r gogledd i gyfeiriad y ffin â Thwrci. Er mwyn cyrraedd castell Sahyun wedyn, rhaid dilyn heol serth sy'n troi fel taradr lan y llechwedd. Wrth nesáu at y copa, mae'r heol yn culhau, a'r coed yn gwasgu'n dynnach byth yn erbyn ei gilydd. Ac wedyn cyrraedd man gwastad 700 metr uwchben y paith i'r gorllewin o Al-Haffah. Dyma ni yng ngogledd Syria felly. Bro'r Alawitiaid, bro teulu al-Assad sydd wedi bod yn teyrnasu yn Syria ers yr 1970au. Ysgrifennodd Lawrence ambell i sylw amdanynt: 'The sect, vital in itself, was clannish in feeling and politics.' Dyna un peth sydd wrth wraidd y gyflafan bresennol yn Syria. Mae teulu al-Assad yn gafael yn dynn ar yr awenau er lles ac er budd y tylwyth a'r enwad.

Mae'r Alawitiaid yn olrhain eu gwreiddiau i ddilynwyr Hasan al-Askari, imam fu fyw yn y nawfed ganrif. Ond mae rhai – y Sunni yn anad neb – yn honni nad yw'r Alawitiaid yn wir Foslemiaid. Dechreuodd dyrchafiad yr Alawitiaid ar ôl y Rhyfel Byd Cyntaf. Y nhw oedd arweinwyr y gwrthryfel yn erbyn byddin estron y Ffrancwyr oedd â gafael ar Syria ar y pryd. Cydnabyddai'r Ffrancod eu bod yn rhyfelwyr pen eu camp. Yn wir, daeth meibion yr Alawitiaid yn filwyr o fri yn rhengoedd byddin Ffrainc hefyd. Daeth eu campau ar y maes â chlod i'r enwad a'i deuluoedd, ac o dan lywodraeth y Ffrancwyr gadawyd iddynt reoli eu rhanbarth annibynnol eu hun. Yn 1937, er mwyn meithrin cyfeillgarwch â'r Bloc Cenedlaethol yn Syria, sef y blaid oedd mewn grym cyn yr Ail Ryfel Byd, cafodd rhanbarth yr Alawitiaid ei ailglymu wrth weddill y wladwriaeth.

Prynu te a brechdan ar y sgwâr yn Al-Haffah yr oeddwn i erbyn hyn, a thynnu sylw at fy hunan yn anorfod. Doedd hynny ddim yn ddrwg o beth, achos roedd angen i fi ffeindio rhywun allai fynd â fi i gastell Sahyun. Eisteddai nifer o ddynion yn yfed te ac yn hamddena gerllaw. Daeth un ohonynt draw ataf a gofyn, 'Have you come to see Qala'at Salah ad-Din?' Cefais fy arwain at gerbyd arall oedd ar fin cychwyn. Hanner awr wedi hynny, y gêrs yn griddfan bob cam a'r syspensiwn yn rhacs, roeddwn i wedi cyrraedd porth castell Sahyun.

Wrth inni ymlwybro o amgylch y tro olaf yn yr heol, gwelwn y castell yn hofran uwch fy mhen. Rhaid oedd dilyn ceuffordd wedi'i naddu trwy'r graig am y 200 metr olaf. Er mawr lwc i'r hen farchogion, cyn iddynt oresgyn ardal Lattakia a safle Sahyun roedd y Byzantiniaid wedi llafurio i wneud y geuffordd nodedig hon ar ddechrau'r ddeuddegfed ganrif. Wrth fynd heibio i'r allt, pylodd y golau a theimlwn y naws yn oeri. Yng nghanol yr heol, dyma binacl yn codi o'n blaen, nodwydd 28 metr o uchder. Ar ben y golofn naturiol hon roedd un pen o bont y castell yn arfer gorwedd, a honno'n cael ei chau â chadwyni petai angen.

Ystyr Sahyun yw 'Seion'. Ar ôl i wladwriaeth Israel gael ei sefydlu, barn y llywodraeth yn Syria oedd mai amhriodol oedd cael enw felly ar gadarnle Moslemaidd. Er mwyn coffáu teyrnasiad hir y Moslemiaid ar ôl disodli'r Croesgadwyr byrhoedlog, cafodd y castell ei ailenwi yn Qala'at Salah ad-Din gan lywodraeth Syria. Ystyr hynny yw Castell Saladin. Ond ar lafar gwlad, roedd yn debyg i fi fod y naill enw a'r llall yn dal i gael eu harfer. Wrth i fi agosáu at y porth, des yn ymwybodol o'r tawelwch llethol sy'n nodweddu fforestydd anial, fforestydd a choedydd lle does fawr neb ar daith, lle mae pob sŵn yn diflannu yn y gwacter mawr, yn ymdoddi ac yn mynd yn ddim. Teimlwn unigedd y mynydd yn gwasgu arnaf braidd, ond dyma sylwi nawr ar hanner dwsin o ddynion yn y cysgod ger y porth. Y crysau gwyn welais i gyntaf. Eisteddent yn llonydd gan wylio fy nghamre ar y llwybr oedd yn arwain tuag atynt. Dyma rywbeth i'w ddifyrru ar ganol diwrnod hirfaith, tesog.

Cododd un neu ddau ohonynt ar eu traed yn weddol heini wrth i fi ddynesu atynt. Estyn croeso oedd eu dymuniad cyntaf, ac wedyn cael gwybod o ble roeddwn i wedi dod, i ble roeddwn i'n bwriadu mynd nesaf ac a oeddwn yn briod neu beidio. O ran hynny, mi es i feddwl nad oedd hi byth yn rhwym ar y dynion i ddweud a oeddent hwythau'n briod neu beidio. Doedd neb arall ar y safle, hyd y gwelwn i. Roedd gwres mawr gyda hi erbyn hyn. Tipyn bach o weniaith ar ran un neu ddau o'r cwmni, a chynnig i'm tywys o amgylch y castell, ond gwrthod wnes i yn ddigon diflewyn-ar-dafod, a chael llonydd wedyn i chwilota ar fy mhen fy hun. Suddodd y dynion yn ôl i'r cysgodion.

Mae hanes adeiladu cadarnle strategol ar yr hen groesffordd hon lle mae sawl tiriogaeth yn gorgyffwrdd â'i gilydd yn rhagddyddio cyfnod y Croesgadau. Yn nwylo'r Phoeniciaid y bu'r safle hiraf, o'r mileniwm cyntaf Cyn Crist nes i Alexander Fawr gyrraedd yn y flwyddyn 333 Cyn Crist. Wedi hynny, cafodd y graig ei chipio gan linach Hamdanid, Arabiaid o'r Aifft. Fe gawson nhw eu disodli yn eu tro gan y Byzantiniaid yn 975. Marchogion y Croesgadau oedd meistri nesaf y gaer, ond cwta 80 mlynedd y buont hwy yn arglwyddi yno. Ystyrid y gaer yn un anorchfygadwy, ond camgymeriad ac ymffrost di-sail oedd hynny. Fel y digwyddodd erioed i geyrydd lawer, er gwaethaf eu cadernid, ildio i'r gelyn wnaeth Sahyun hefyd. Dridiau ar ôl i Saladin a'i fab gyrraedd yn 1188, a dod â pheiriannau gwarchae gyda nhw ac ymosod yn ffyrnig ar y castell, trechwyd y Cristnogion. Lluniodd y marchogion gyfamod â Saladin, a chael mynd oddi yno'n rhydd, ac ymsefydlu ar Arwad, ynys fechan ger Tartous. Yn nwylo'r Moslemiaid y bu Sahyun wedi hynny.

Mae Sahyun yn safle helaeth iawn sy'n cwmpasu pum hectar – mwy na deg cyfer – at ei gilydd. Fe welais yno eglwys o amser y Croesgadau a honno wedi mynd â'i phen iddi. Yn ei ddydd, wedi i Saladin drechu'r marchogion, bu'r adeilad yn fosg, yn stablau ac yn *hammam*. Roeddwn i'n llusgo fy nhraed yn ddigyfeiriad braidd erbyn hyn. Roedd y borfa wedi'i deifio gan yr haul. Dychmygwn y lle ers llawer dydd pan oedd yn fwrlwm ac yn fywyd i gyd. Roedd yr olygfa'n llesmeiriol, a gweld y pinacl oedd yn dal pwysau'r hen bont gynt yn ennyn edmygedd mawr ym mhensaernïaeth yr oes a fu. Ond roeddwn i wedi blino hefyd, roedd eisiau cwmni arnaf ac ar ben hynny roeddwn i wedi anghofio dod â digon o ddŵr gyda fi.

Dyma fi'n sylwi nawr ar ryw fwlch pwrpasol yr olwg yn y fagwyr ar fy mhwys, a meddwl mynd draw i gael cip arno. Roedd rhaid i fi grymu i fynd trwyddo. Yn groes i bob disgwyl, fe welwn wagle anferth oddi tanaf. Cronfa ddŵr oedd hi. Tyfai cen a mwsogl ar y muriau islaw oherwydd y lleithder parhaol. Synhwyrwn y pwll llonydd ym mherfeddion yr agendor. Dyma'r pwll oedd yn dal y dŵr fu'n fodd i fyw i drigolion y nythfa anghysbell hon ar hyd y canrifoedd. Roedd y gronfa wedi'i naddu o'r graig wrth wraidd y castell. Cynhwysai filoedd o alwyni o ddŵr mae'n debyg, digon i dorri syched llond y castell o filwyr ffyrnig am flynyddoedd. Caeodd y brith-olau amdanaf, a'm denu i eistedd yn y cysgodion ffres am funud fach.

Y peth nesaf oedd meddwl a fyddai rhaid i fi gerdded yr holl ffordd yn ôl i Al-Haffah. Lawr y rhiw oedd y daith, mae'n wir, ond roedd yr haul yn dal ar ei anterth a hithau'n ganol y prynhawn. Roedd y bws bach wedi mynd, a Duw a ŵyr pryd y byddai'r un nesaf yn dod. Wrth nesáu at y porth eto, roeddwn i rhwng dau feddwl. Yn y cysgodion, dyna'r dynion yn diogi eto. Clywn glic-clician y gleiniau gweddïo yn cael eu troi rhwng bys a bawd ganddynt. Dyma gyfle efallai. Roedd y dynion yn crechwenu erbyn hyn, ac un ohonynt, bachgen digon didoreth yr olwg, yn cael pryd o benelin gan ei gyfeillion. Codi wnaeth y bachgen, a thynnu moto-beic bach o'r clawdd. Gallai hwn fynd â fi i lawr i'r dref am bris rhesymol iawn. Wrth inni gychwyn, dyma'r dynion yn codi llaw arnom yn chwerthin mawr i gyd, a'u sylwadau wrth ei gilydd yn rhai digon smala ar y pryd, dybiwn i. I ffwrdd â ni ar gefn y moto-beic.

Doeddwn i ddim yn poeni dim. Llipryn main oedd y dyn, un bach o gorff. Doedd e fawr o fygythiad, druan. Tybiwn wrth glywed chwerthin dirmygus y dynion gynnau mai dyna oedd eu barn nhw amdano hefyd. Gyrron ni trwy'r geuffordd yn y graig yn araf deg. Yn y moto-beic, yn y bariau ar y cefn, dyna lle roedd rhaid i fi afael rhag gwegian a syrthio. Doedd wiw i fi gydio yn y dyn rhag ofn iddo gamddeall fy mwriad. Yn bwyllog iawn, a'r peiriant yn bloeddio ar bob tro pedol yn y ffordd, gyrron ni yn ein blaen.

Beth yn y byd? Llaw yn gafael yn dynn ar fy mhen-glin! Ac wrth i fi ei gwthio i ffwrdd, dyma'r moto-beic yn gwyro. Ymhen ychydig, yr un peth eto, ond gafaelodd y llaw yn dynnach y tro yma. Roedd y dyn digywilydd yma yn gwneud i fi gynhyrfu nawr. Gwthiais y llaw i ffwrdd yn benderfynol unwaith eto a'r moto-beic yn waltsio ar y ffordd. Roedd yn amlwg bod y dynion wedi ei berswadio i fentro allan i'r gwres gan awgrymu iddo fod y ferch ddierth yn un laes ei moesau. Dyma'r ddrama fud yn mynd yn ei blaen. Llaw yn gafael, llaw yn gwthio. Dyna ddigon! Mi godais fy mreichiau a bloeddio arno: 'Well gen i gerdded, y diawl bach â chi!' Mi ges lonydd wedyn. Ofn na châi mo'i dalu yr oedd, mae'n debyg. Daethom i ben y daith yn ddidrafferth wedyn a'r moto-beic yn pwt-pwtian i mewn i'r sgwâr yn ddiniwed. I ffwrdd â'r bachgen main gafodd ei wrthod, i yfed te, a llond ei ben o straeon ganddo am garu ar y mynydd siŵr o fod. Dechreuais innau chwilio am fws i fynd â fi yn ôl i Lattakia.

Dŵr Croyw Ynys Arwad

YNYS FECHAN YW Arwad ger tref Tartous, sef yr ail borthladd mwyaf yn Syria. Ar yr ynys honno yr oedd cadarnle olaf y Temlyddion wedi i farchogion yr urdd honno golli eu gafael ar diroedd Palestina a Syria yn y flwyddyn 1291. Fe gododd y marchogion gaer yno ac adfeilion o oes y Phoeniciaid yn gynsail iddi, gan amgylchynu'r ynys gyfan â meini anferth, pob un tua'r un faint â char bach. Nifer fechan o filwyr a arferai warchod y gaer, ac o bryd i'w gilydd ymosodai'r rheini ar dref Tartous. Bob hyn a hyn, anfonid rhyfelwyr cynorthwyol i Arwad o ynys Cyprus i sefyll yn yr adwy. Er gwaethaf y ffaith nad oedd y marchogion yn niferus, fe lwyddon nhw i gadw'r gelyn draw tan y flwyddyn 1302.

Yn y flwyddyn honno, yn sgil gwarchae amyneddgar y Mamelukiaid, gorfu iddynt ildio'u harfau. Addawodd y Mamelukiaid na chaent ddim cam wedi iddynt ymddarostwng, ond er gwaethaf hynny, dienyddiwyd y 500 saethydd oedd yn osgordd iddynt, ynghyd â 400 gŵr o Syria. Mynd ar eu pennau i'r carchar yn Cairo fu hanes gweddill y marchogion. Cynigiwyd pridwerth amdanynt, ond diwedd y gân oedd iddynt araf bydru ym mhrifddinas yr Aifft. Oherwydd y cyfoeth oedd yn eiddo i Urdd y Temlyddion, aethai brenin Ffrainc a'r Pab yn Avignon yn eiddigeddus ohonynt, ac yn 1307 fe orchmynnodd y Pab i frenhinoedd y cyfandir oll arestio pob marchog yn eu teyrnas, a chipio eu heiddo yn ddiseremoni. Cafodd yr urdd ei dileu yn swyddogol yn 1312. Disgwyl yn ofer i'w caethiwed ddarfod fu tynged y marchogion yn Cairo.

Dim ond 800 metr ar ei hyd a 500 ar led yw ynys Arwad.

Yn ystod y rhan helaeth o'i hanes, bu'n glytwaith o lonydd cul a muriau gwyn oedd yn cuddio bron pob modfedd ohoni, ac felly y mae hyd heddiw. Tu ôl i'r muriau hynny y saif y tai sy'n annedd i drigolion yr ynys. Gwyddom fod pobol yn byw yno ers 5,000 o flynyddoedd, ac fe nodir yn y Beibl fod morwyr a milwyr o dref Tyre yn bwrw eu gwasanaeth yno. Er gwaethaf y rhyfela di-baid ac ambell i ddaeargryn, mae'r gadeirlan a chaer y marchogion heb eu dymchwel, ond llithro'n fud i safnau'r môr fu hanes y meini amddiffynnol bob yn un. Pysgota fu galwedigaeth pobol Arwad erioed. Erbyn heddiw, mae'r culfor rhwng Tartous a glannau'r ynys yn fynwent i ddysenni o gychod sy'n rhydu'n ddiolwg yn y tonnau, gan awgrymu bod rhai wedi cefnu ar waith y pysgotwr i ennill eu tamaid wrth ryw newydd grefft.

Dyma fi'n sefyll ar y draethell felly, gan lygadu Tartous ar y gorwel a meddwl wrth fy hunan, 'Ble mae dechrau chwilota, tybed?' Cwta ugain munud oedd y daith draw wedi para, mewn cwch agored, dinod. Dim ond ceiniog a dimai a gostiodd hi i'r teithwyr gael eu hyrddio o'r naill ochor i'r llall ar y llanw wrth i'r corwg-o-beth sboncian yn beryglus drwy'r tonnau heb falio botwm am iechyd a diogelwch. Doedd dim amdani ond gafael yn dynn ar y canllawiau ac ymochel rhag cwympo i'r môr. Ond erbyn i fraich yr harbwr ymestyn allan i'n gwared, tawelu wnaeth y dyfroedd gan adael i'r cwmni gamu draw i'r tir. Oglau mawr perfeddion pysgod a gwynt petrol oedd yn groeso inni ar y cei. Ond chwythai awel iachus, ac roedd y caffis ar lan y môr yn ferw o dwristiaid. Gan nad oedd traffig ar yr ynys, gadawai'r ymwelwyr i'w plant redeg ar hyd y lle rhwng y bordydd a'r stondinau gwerthu trugareddau.

Dechrau crwydro'n araf bach wnes i o'r cei i gyfeiriad y tai. Cyn pen dim, roeddwn i wedi cael gwahoddiad i de, ac i ginio canol dydd. Dau ddyn canol oed, llond eu croen oedd eisiau cwmni i ddifyrru eu hamser. Roedd y pâr yn gyn-forwyr oedd wedi gweld tipyn ar y byd wrth iddynt chwilio am fodd i fyw ymhell o'u haelwydydd tlawd. Mae dynion Arwad yn fwy cyfarwydd â'r don a'r rhaff nag â strydoedd eu pentref genedigol, ac yn ystod eu gyrfa forwrol roedd fy nau gyfaill wedi dysgu digon ar wahanol ieithoedd inni gynnal sgwrs elfennol o ryw fath am gwrs y byd. Bûm yn cadw cwmni iddynt am awr fach, gan holi am hanes yr ynys a'i phobol. Mi ges wybod – wn i ddim ai gwir neu beidio – fod cred yn lleol i'r Croesgadwyr dwrio o dan y môr a gwneud twnnel o Arwad i Tartous er mwyn hwyluso eu hymosodiadau ar y tir mawr. Yn ôl y sôn, medden nhw, roedd y twnnel yn dal i fodoli, yn rhywle...

Dilynais fy hynt ar hyd y lan. Roedd y morfa'n frith o sbwriel – tuniau'n rhydu, bagiau plastig driphlith-draphlith, pob math o sothach wedi'u taflu o'r gegin, a deiliach budr yn madru yn y gwres. Roedd yn amlwg bod diffyg gwasanaethau truenus ar yr ynys, a gorboblogi yn ei gwneud hi'n waeth. Roedd rhyw haenen denau o olew dros y cwbl yn sgil y llongau oedd yn mynd a dod yn ddi-baid yn y bae gan ollwng peth o'u haflendid yn ddigywilydd. Pe bai'r adnoddau angenrheidiol ar gael, fe fyddai hon yn ynys ddeniadol. Ond eto i gyd, er gwaethaf y blerwch, roedd rhyw naws annibynnol i'r lle, a hynny'n fwy gorllewinol na dwyreiniol o bosib. Mi ges lonydd i grwydro heb fod neb yn fy nghysgodi, ac roedd y bobol yn fy nghyfarch yn siriol. Doedd neb yn gofyn p'un a oeddwn i'n briod neu beidio chwaith. Ymddangosai i fi fod y bobol ar Arwad yn falch o'u harwahanrwydd, ac y byddai gadael i unrhyw awdurdod gymhennu ar y lle yn groes i'r graen.

Erbyn cyrraedd traeth y de, des o hyd i weithfa lle roedd cychod pren yn cael eu hadeiladu. Roedd dulliau gwaith y crefftwyr yn debyg iawn i ddulliau gwaith y cyffelyb grefftwyr yr wyf wedi'u gweld yn Yemen yn y cyfamser. Dyma olygfa oedd heb newid ers oesoedd di-ri. Gorweddai'r cychod ar y traeth, sgerbydau ar eu hanner, a gwelwn y dynion yn camu o'r naill drawsbren i'r llall wrth eu gwaith. 'Neddyf' oedd yn llaw pob un, sef math ar fwyell, a'i thalcen yn groes ar ffurf 'T', a'r min am i lawr. Naddai'r crefftwyr y pren bob yn drawiad medrus a chytbwys, bob yn gnoc araf a chywir. Yn y weithfa gerllaw roedd gwaith mwy cywrain yn cael ei wneud ar bren bras – addurno a llunio pob darn at berwyl arbennig. Doedd dim cynllun ar bapur, dim llinyn mesur, dim hoelion. Dim byd ond y neddyf, un o'r tŵls hynaf yn y byd, ynghyd â llygad craff a llaw ddi-feth y crefftwr pen ei gamp yn arfer hen gelfyddyd.

Hyd y gwelwn i, roedd y bobol yn fodlon eu byd ar ynys Arwad. Roedd pawb yn byw ar ben ei gilydd, mae'n wir, ond doedd dim ffraeo na checru i'w clywed. Hel strydoedd yn ôl eu mympwy yr oedd y plant, gan ddringo dros y muriau a'r magwyrydd, a'u chwerthin iach yn tincial fel clychau bach yn y gwynt. Crwydro yn fy mlaen yr oeddwn i ling-di-long, a meddwl nawr am y cronfeydd dŵr a'r ffynhonnau oedd ar yr ynys. Trueni nad oeddwn wedi gofyn i'r ddau hen forwr gynnau. Syched oedd wedi gwneud i fi feddwl am ddŵr a glaw mae'n debyg, ac yn wir roeddwn i'n dechrau simsanu braidd. Rhaid bod hynny'n amlwg hefyd...

Wrth i fi gerdded heibio i un o'r tai, dyma ddyn bach gwydn yr olwg yn fy nghyfarch yn yr iaith Arabeg a gwneud arwydd i fi aros amdano. Fe ddaeth â chadair bren i fi ar unwaith, a gwneud arwydd i fi eistedd, ac aros eto. Eisteddais ar y gadair ar y lôn gefn, a theimlo ychydig bach yn chwith ymhen munud neu ddwy, a dechrau meddwl y dylwn godi a mynd. Ond dyma'r cyfaill yn ymddangos yn y drws ar y gair, ac estyn glasaid mawr o ddŵr croyw i fi. Eisteddodd wrth fy ochr, yn gydymaith tawel a diymhongar, wrth i fi ddrachtio'n awchus o'r rhodd fendigedig. Dyma bobol oedd yn deall gwerth dŵr, a thraddodiad cwrteisi a serchogrwydd. Fe'm bodlonwyd yn llwyr. Efallai ei fod yn lle anniben braidd, ond eto i gyd, lle wrth fodd fy nghalon oedd ynys Arwad.

YEMEN

Y Diwydiant *Khat*

a'r Arlywydd Ali Abdullah Saleh

YN YSTOD Y tridiau a dreuliais yn ninas Sana'a yn Yemen ar fy ffordd i'r mynyddoedd yn y de-ddwyrain, mi ges weld diwydiant brodorol yn ei ogoniant. Y diwydiant *khat* yw hwnnw, ac mae'n rhan hanfodol o fywyd Yemen. Cyffur yw'r *khat* sy'n sbardun i'r synhwyrau. Coeden fach yw'r planhigyn, a'r goeden honno'n debyg, er enghraifft, i'r pren bocs. Mae'r Yemeniaid yn defnyddio *khat* fel yr ydyn ni'n defnyddio coffi yn y gorllewin. Ond mewnforio coffi y byddwn ni, wrth gwrs, a'r Yemenwr yntau yn plannu *khat* er mwyn ei gynaeafu a'i ddefnyddio gartref.

Yn lle plannu tatw a bresych a swêds felly, plannu *khat* y mae nifer o dyddynwyr Yemen. Gŵyr y tyddynwyr y byddan nhw'n cael pris teg am eu cynnyrch, gan wybod hefyd nad yw'r galw amdano yn un tymhorol ond, yn hytrach, yn un sy'n para gydol y flwyddyn. Amcangyfrifir bod 40 y cant o ddŵr y wlad yn cael ei sianelu i'r caeau *khat*, a hynny yn ei dro yn peri prinder i'r gymdeithas, oherwydd erbyn hyn mae'r cyflenwad dŵr o amgylch dinas Sana'a yn beryglus o fach.

Yn Yemen, mae canran sylweddol o'r dynion yn gwario un rhan o dair o'u cyflog misol ar y cyffur meddal hwn. Mae'n feicro-economi cyfan felly, a chan ei fod yn creu cyfoeth yn ddi-ffael, mae'n cael ei amddiffyn yn daer rhag lladron. Ar odre'r caeau *khat* fe welwch dŵr gwylio a dyn yn eistedd yn y tŵr ddydd a nos, a gwn dros ei ysgwydd i warchod y cnwd gwerthfawr.

Rhwng saith ac wyth o'r gloch y bore y mae'r bobol yn dechrau gweithio yn Yemen. Ganol dydd wedyn, mae'r gwaith yn dod i ben. Mynd i'r farchnad mae'r dynion bryd hynny. Dyna lle bydd y *khat* bob yn fwdwl bach neu yn dwmpath yn disgwyl prynwyr. Brigau sydd ar werth ac arnynt gymysgedd o ddail garw gweddol o faint a dail bach pert, suddlon. Mae'r prisiau'n amrywio, ac mae rhywbeth at ddant pawb i'w gael. Mae'r prynwyr yn pori trwy'r farchnad gan lygadu'r brigau, craffu ar y dail a thrafod y pris.

Cyn bo hir, mae'r dorf yn dechrau ymadael â'r farchnad, bob yn un, yn bâr ac yn gwmni bach. Mae llond boch o'r dail *khat* gan bob un erbyn hyn, bagiau plastig a'u llond o'r cynnyrch hoff yn cael eu llwytho ar gefn beiciau, rhai'n cario cainc fechan o dan eu cesail. Mynd tua thref mae pawb wedi'r llafur wrth i'r prynhawn gynhesu.

Gartref mae stafell arbennig ar gyfer defodau'r *khat*. Yn amlach na pheidio, honno yw'r stafell orau yn y tŷ. Bydd matiau lliwgar ar y llawr, a chlustogau y gellir lled-orwedd arnynt i hamddena. Ambell waith mae'r dynion yn treulio hyd at wyth awr y dydd yn y stafell gnoi. Dyna yw eu cysur pennaf yn y byd. Mae'r merched hwythau yn cnoi'r dail o bryd i'w gilydd hefyd.

Wedi gweld y ddinas a'r farchnad, fe ddaeth hi'n bryd i fi droi fy ngolygon tuag at y mynyddoedd yn ne-ddwyrain y wlad. Roeddwn i wedi trefnu trafaelu yn aelod o grŵp. Roedd y grwpiau hyn yn arfer ymffurfio o bryd i'w gilydd pan fyddai digon o alw a digon o ddarpariaeth iddynt. Fel rheol, roedd mwy nag un cerbyd yn cychwyn, a gofelid bod pob cerbyd yn cynnwys dyn â gwn er mwyn cadw lladron pen ffordd draw petai angen. Lladron neu beidio, mae twristiaid o'r gwledydd cyfoethog yn un o'r hoff dargedau sydd gan wahanol garfanau anghyfreithlon yn Yemen, a chyn mentro i'r anialwch roedd rhaid inni dderbyn y ffaith ei bod yn bosib y byddem yn cael ein herwgipio.

Ond dyma ni wedi cyrraedd y mynyddoedd uchaf yn y byd Arabaidd. Tua'r gogledd o ddinas Aden y maent, gyferbyn ag Eritrea yng Nghorn Affrica yr ochor draw i'r culfor sy'n arwain i'r gogledd hyd at gamlas Suez rhwng yr Aifft a Phalestina. Roeddem ni dair mil o droedfeddi uwchben y môr, ac eto i gyd, yn y cerrig yr oedd y tywysydd wedi dod â ni i'w gweld roedd olion pysgod a chregyn môr yn gwbl amlwg. Yn ambell i ddarn, roedd patrymau gwymon yn ddigamsyniol o eglur hefyd.

Wrth inni ymhyfrydu yn y rhyfeddodau archeolegol a synfyfyrio am lanw a thrai'r heli yn ystod y milenia, dyma gonfoi o geir pwysig iawn yr olwg yn dod heibio inni. Dau neu dri *jeep* oedd ar y blaen, ac wedyn dau *limousine* hirddu a'u ffenestri'n dywyll ac yn ddirgel. Tri neu bedwar *jeep* arall wedyn yn gwarchod cefn y ddau *limousine*. Marchogai milwyr yn y *jeeps* agored. Roeddent yn gwisgo *camouflage* smotiog lliwiau croen jiráff a hynny'n gwneud iddynt sefyll allan yn y dirwedd blaen fel bawd wedi cael ergyd cas â morthwyl.

'Efallai eu bod nhw ar eu ffordd i'r sw,' meddai un o'r lleill.

Ond doedd dim smaldod i fod â phob un o'r milwyr yn ein llygadu yn barod iawn ei fys a'i fwled petai angen. Brysio heibio inni wnaeth yr osgordd.

Efallai eu bod wedi sylwi bod lwmpyn ym moch pob un ohonom. Cnoi ar y *khat* yr oeddem i gyd – a rhaid dweud bod gwaith cnoi arno. Roedd y blas yn chwerw, ac nid heb gryn ymdrech y gellid malu'r dail cwrs a thynnu peth sudd ohonynt. Cyffur neu beidio, doeddwn i ddim yn teimlo fawr o effaith ar fy synhwyrau. Gwell gen i baned o goffi go gryf, a hwnnw'n haws o lawer ei drafod hefyd.

Ond cnoi yr oeddem, a chnoi yr oedd Mohammed hefyd, y gŵr ifanc oedd yn gyrru inni. Pelen fawr maint afal oedd yn ei foch ef, a phelen bitw tua maint wy bronfraith oedd gyda ni. Dyma *jeep* gwyn yn stopio gyferbyn â ni, a'r gyrrwr yn ein cyfarch yn frwd iawn ac yn bwrw iddi i'n holi'n syn. Roedd wedi dod o hyd i bedair o ferched dierth ar ben y mynydd – pwy fyddai'n coelio hynny?

'O le dych chi'n dod 'te?' meddai.

Fe gafodd ryw bwt bach o hanes gan bob un ohonom.

'Da, yntefe?' meddai wedyn. 'Y *khat*.'

Roedd wedi sylwi ar y gwaith cnoi.

'Mwynhewch eich hunain yn Yemen!' meddai wedyn, a chychwyn ar ras i oddiweddyd y lleill.

Roedd Mohammed wedi mynd i'w gragen am ryw reswm.

'Beth sydd?' meddwn i.

'Dych chi'n gwybod pwy oedd hwnnw?'

'Pwy?'

'Ali Abdullah Saleh, arlywydd Yemen…'

Roedd yn amlwg ei fod wedi cael ei fwrw oddi ar ei echel.

Cipiodd Saleh yr awenau yn Yemen yn 1978. Yn 2011, fe gafodd ei anafu gan brotestwyr a ffôdd i Saudi Arabia i gael triniaeth feddygol. Dychwelyd yn annisgwyl i Yemen oedd ei hanes wedyn i geisio ailgydio yn y llyw cyn diwedd y flwyddyn honno. Efallai mai'r cyfle i rasio mewn *jeep* ar draws y paith a'r mynydd dan oruchwyliaeth gosgordd ffyddlon oedd wedi ei ddenu'n ôl. Boed hynny fel y bo, byrhoedlog iawn fu ei arhosiad yn yr hen gynefin wedyn. Bodlonodd ar gael ei hebrwng i America, ac yno y mae bellach, yn alltud ac yn glaf.

Cynhaliwyd etholiad yn Yemen ym mis Chwefror 2012. Un ymgeisydd yn unig fu, sef gŵr o'r enw Abd Rabbuh Mansur Hadi, ac fe bleidleisiodd 60 y cant o'r boblogaeth drosto. Y fe sydd â'r cyfrifoldeb nawr i foderneiddio Yemen. Haws dweud na gwneud. Ond tra bo *khat* yn tyfu yn y wlad, bydd gan y bobol rywbeth i gnoi arno.

Dychwelyd yn saff i lawr gwlad fu hanes y grŵp yr oeddwn i'n rhan ohono. Roedd yr herwgipwyr lleol wedi cadw draw – oherwydd bod milwyr Saleh yn y cyffiniau efallai.

Ysmygu Baco gyda Merched Yemen

ANODD YW DOD i adnabod gwragedd Yemen, a gwragedd y gwledydd Moslemaidd at ei gilydd. Mae gwahanol furiau yn eu gwahanu oddi wrth y trafaeliwr – iaith, a honno'n estron; amser, a hwnnw'n brin; y diwylliant, a hwnnw'n mynnu bod y gwragedd yn encilio o olwg y byd. Ar ben hynny, pan fydd y 'trafaeliwr' yn ferch, mae sefyllfa anghyffredin yn codi. Yn gyntaf, bydd y dynion yn amau bod merch sengl ar daith yn ferch ar gyfeiliorn, un wedi'i gwrthod gan ei gŵr efallai, neu os yw hi'n ddibriod, un sy'n werth cynnig amdani. Yn ail, mae dynion yn y gwledydd Moslemaidd yn gyndyn iawn i ddod â merch ddierth i'w haelwyd. Ac os digwydd iddi gyrraedd y tŷ er gwaethaf pawb a phopeth, bydd y cymdogion i gyd eisiau torri sgwrs â hi, sef dynion eraill wrth gwrs. Aros tu ôl i'r llenni y bydd y merched Moslemaidd mewn achos felly, hyd yn oed ar eu haelwyd eu hun.

Os daw cyfle i siarad â merch frodorol, mae'n bosib y bydd hi'n anghyfiaith a diaddysg. Y dynion fydd yn cyfieithu wedyn, a hynny'n cyfyngu'n arw ar lif ac ar gynnwys y sgwrs. Cwestiynau digon sylfaenol y mae'r merched a'r gwragedd yn eu gofyn os cânt gyfle. Adlewyrchu eu bywyd eu hun mae cwestiynau fel 'Ble mae eich gŵr?', 'Pam dych chi'n cael teithio ar eich pen eich hun?', 'Sawl mab sydd gyda chi?', 'Ydych chi'n Nasran? (hynny yw, yn Gristion) a 'Modrwyon, gemwaith, oes llawer o emwaith gyda chi?'

Mae'r holi'n peri chwithdod weithiau – neu'r atebion. Os dywed y ferch ddierth nad yw hi'n briod – a dibriod oedd tair o'r pedair yn ein grŵp ni – mae hynny'n codi cywilydd ar y merched a'r gwragedd lleol. Os dywed y ferch bod mab a merch gyda hi gartref yn y gorllewin, dim ond am y mab y bydd yr holi wedyn. Dyw hi ddim yn bosib dweud eich bod yn ddigrefydd. Mae hynny'n rhywbeth cwbl annirnad iddynt. Os digwydd i chi ddangos nad ydych chi'n gwisgo tlysau, neu ddangos rhai arian yn hytrach na rhai aur, mae'n chwith ganddynt eu bod wedi codi cywilydd arnoch, gwir neu beidio. Os gwelant fod eich gwallt yn fyr, fel fy ngwallt innau ar y pryd, maen nhw'n ffieiddio ac yn teimlo drosoch. Ambell waith, mae gormod o fwlch rhwng y ddau fyd i gynnal sgwrs na chodi pontydd.

Er gwaethaf pob rhwystr, mi ddes i ben â threulio prynhawn traddodiadol yng nghwmni merched a gwragedd yn y mynydd-dir yr ochor draw i Ta'izz. Trefnwyd llety inni mewn pentref bach diarffordd, er mawr foddhad inni, a dyma ni'n mynd yno yn ein cyfer.

Tai uchel ac iddynt sawl llawr fel tŵr oedd yr arddull lleol o ran pensaernïaeth. Maen oedd y muriau, ac roedd yr adeiladwaith yn gadarn. Yn ardal Hadhramaut, yn nwyrain y wlad, roeddem wedi gweld tai briciau pridd, a gweld y briciau'n cael eu sychu a'u crasu yn llygad yr haul tanbaid. Ond er bod tai da gyda'r bobol yn ardal Ta'izz, doedd dim trydan gyda nhw, na dŵr tap, ac roedd y grisiau oedd yn cysylltu'r naill lawr â'r llall yn serth a chul a thywyll.

Eisteddon ni yn y stafell *khat* am sbel fach gyda'r dynion. Y nhw oedd â'r fraint o groesawu'r pedair creadures o ben draw'r byd. Ond cyn plygu i'r drefn honno, roeddem wedi gosod amod, a chytunwyd y byddem yn cael treulio peth amser gyda'r merched a'r gwragedd ar ein pennau ein hunain.

Roedd hi fel diwrnod ffair ymhlith y merched pan arweiniwyd ni atynt. Roedd deg ohonynt yn rhannu'r tŵr â'i gilydd a phob un wedi dod i gwrdd â ni. Roedd yr hwyl yn dda iawn. Er mwyn cuddio ein hen wallt hyll ac anffodus o fyr, fe glymodd y merched sgarffiau am ein pennau yn weddus.

Tanio'r *nargilah* wedyn – mae *hookah* yn air arall am hwnnw
– sef y teclyn smygu baco. Dyna'r un mwyaf a welais erioed.
Rhyw ddwy lathen o uchder oedd e, a'r bibell yn ddigon o hyd
er mwyn cyrraedd pawb yn y stafell heb fod neb yn gorfod
codi o'u gorweddfan wrth y mur. Cafodd pob un o'r pedair
ohonom *khat* i'w gnoi wedyn. Gwthiodd un o'r gwragedd
ddeilen neu ddwy i mewn i fy ngheg, a dod â llond caead potel
blastig o siwgr wedyn er mwyn ychwanegu at y blas.

Penderfynwyd wedyn y byddai ein dwylo yn cael lliw
henna. Cledr y llaw oedd y man priodol, ynghyd â sodlau ein
traed hyd at y pigwrn. Roedd y lliw llachar oren yn arwydd
bod gennym oll destun dathlu. Fe'm hamddifadwyd o'm
dwylo a'm traed wedyn am awr neu ddwy wrth iddynt gael
eu paentio. Dyna lle bues i yn ystod yr amser hwnnw yn
lled-orwedd ar y clustogau bras wrth y mur, yn cnoi'r *khat*
ac ambell binsiad o siwgr yn cael ei ddodi yn fy ngheg, gan
ymestyn am y *nargilah* o bryd i'w gilydd a llanw fy hun ag
oglau mwg baco wedi'i gymysgu ag afalau.

Mi fwynheais y prynhawn. Roedd yn rhywbeth anarferol i'w
wneud, ac roedd cael bod yn rhan o'r teulu am y dydd yn fraint.
Ond buan y byddwn wedi diflasu ar y segura pe na bai dim ond
hynny i'w wneud. Efallai mai dyna oedd uchafbwynt tymor
yr haf i'r merched fu mor garedig wrthym yn y mynyddoedd
yn ardal Ta'izz. Ond gan gofio bod 35 y cant o'r merched yn
Yemen yn methu mynychu'r ysgol, bod 62 y cant ohonynt yn
methu darllen – mae'r ffigyrau'n uwch na hynny mewn rhai
ardaloedd gwledig – a bod hanner y merched yn priodi cyn
cyrraedd deunaw oed, nid yw'r disgwyliadau'n uchel iawn yn
gyffredinol.

Ers aduno gogledd a de Yemen yn 1990, mae hawliau
menywod yn crebachu ac mae'r llywodraeth yn ildio tir i'r
Foslemiaeth ddigyfaddawd sy'n cael ei harfer gan lwythau'r
gogledd. Mae hynny yn ei dro yn creu anghytundeb ymhlith y

boblogaeth. Gweld y rhyddid oedd gyda nhw gynt yn cael ei ddileu mae'r bobol yn y de, ac mae grwgnach yn codi yn eu plith am i'r wlad gael ei rhannu unwaith eto.

Y noson olaf inni fod yn Yemen, cawsom wahoddiad i ymweld â Mohammed Sa'ana, ei wraig a'u tair merch, gan gynnwys un oedd dan anabledd meddyliol. Roedd gwraig Mohammed yn denau. Roedd golwg wedi blino arni a'i llygaid yn ddi-fflach. Roedd ei chroen yn wyn, a gwelw oedd ei phryd a'i gwedd, lliw di-haul oedd yn dystiolaeth huawdl nad oedd hi'n cael cyfle i fwynhau'r awyr iach. Roeddem wedi cwrdd â chwaer iddi yn ardal Ta'izz ac roedd honno dipyn yn sioncach ac yn fwy egnïol. Roedd ei gŵr yn frawd i Mohammed: dau frawd yn briod â dwy chwaer. Mi holais Mohammed am hynny.

'Roedd y teulu wedi trefnu'r cwbwl,' meddai. 'Mae'r ddwy yn dod o bentref ar y mynydd.'

'A sut penderfynoch chi pa chwaer i'w phriodi?'

'Roedd hynny'n ddigon hawdd,' meddai dan wenu. 'Gwyddwn fod fy mrawd yn hoffi merched tal. Fe ddywedais wedyn fy mod i'n fodlon ar yr un fach.'

Ces wybod mai dim ond pymtheg oed oedd hi ar y pryd.

Roedd tŷ Mohammed yn un go sylfaenol. Bocs concrit oedd e. Dyna beth yw llawer o dai pert ar draws y byd, ond doedd hwn ddim yn bert. Roedd y muriau angen eu paentio. Doedd dim celfi pert na dodrefn cyffyrddus. O amgylch y stafell, yn lle clustogau mawr, moethus fel y gwelsom yn Ta'izz, matiau tenau wedi treulio oedd gyda fe. Nid dyn diaddysg oedd Mohammed chwaith, a doedd e ddim yn un ceidwadol na chul ei orwelion. Trydanwr oedd e, ac fe gawsai ei hyfforddi ym Mwlgaria yn ystod y cyfnod Sofietaidd pan oedd Rwsia a'i llygad ar yr adnoddau sydd gydag Yemen i'w cynnig. Ond roedd y gwaith yn brin i drydanwr yn Yemen. Dim ond i hanner poblogaeth y wlad y mae trydan ar gael, a thrwch y rheini yn y dinasoedd. Bu rhaid i Mohammed gymryd jobyn yn gyrru er mwyn ychwanegu at ei gyflog. Y fe wnaeth ein gyrru i Ta'izz. Yn ystod y daith, buom yn dal pen rheswm â'n gilydd lawer gwaith am statws a hawliau menywod.

Cydnabyddai Mohammed fod diffyg addysg yn y wlad wrth wraidd llawer o'r problemau. Roedd hynny'n wir hefyd yn achos y dynion, meddai. Ac fe ychwanegodd fod menywod diaddysg yn fwy ceidwadol weithiau na'r dynion traddodiadol. Doedd Mohammed ddim yn gwahardd ei wraig rhag mynd allan o'r tŷ, ond yn ystod y tair wythnos yr oeddem wedi bod ar yr heol, bu rhaid i'w frawd yng nghyfraith ddod â bwyd i'r aelwyd lawer gwaith. Y wraig oedd wedi gweld yn dda i weithredu yn ôl y rheolau cymdeithasol oedd yn mynnu na ddylai hi fynd allan ar y strydoedd ar ei phen ei hun.

Ond fe ddaeth hi gyda ni ar ddiwedd y noson honno pan aeth Mohammed â ni yn ôl i'r gwesty bach yn y car. Er mwyn dangos ei fod yn ŵr rhyddfrydol, fe bwysodd ar ei wraig i beidio â chadw ei phenwisg amdani wrth drafaelu yn y Land Cruiser gyda'r pedair merch ddierth.

'Welith neb ti. Bydd hi'n dywyll. Does dim trydan!'

Chwerthin wnaeth ei briod, a theimlo ias, mae'n debyg, am fentro gwneud peth mor ddiwahardd. Fe ddaeth hi, ond fe wisgodd yr *abaya* amdani cyn cychwyn. Cuddiai'r wisg honno bob modfedd o'i chorff. Petai'r car yn cael ei stopio, byddai'n amlwg wedyn bod ei gŵr yn ei pharchu ac yn ei charu.

Deffro yn yr Anialwch

Does dim rheilffordd yn Yemen, ac yn y trefi mawr yn unig y mae gwasanaeth bysus. Mae'r bobol yn arfer cerdded yr heol yn ddi-hid heb gymryd dim sylw o'r traffig. Ond gwae pob gyrrwr sy'n taro rhywun â'i gar. Bydd sawl gyrrwr yn mynd i'r carchar nid fel cosb ond er mwyn ymochel rhag perthnasau'r person a gafodd ei anafu neu'i ladd ganddo tra bo manylion yr achos yn cael eu hastudio. Mae'r drafnidiaeth yn anhrefn felly. Eto i gyd, mae modd teithio yn y ddinas. Ond sut yn y byd y mae cyrraedd gweddill y wlad? A phan fo pedair merch estron eisiau cyd-deithio i berfeddion yr anialwch a'r mynyddoedd dirgel, pell, beth yw'r dewis sydd ar gael iddynt? Yn wir, dim ond un dewis sydd: llogi Land Cruiser, gyrrwr a gŵr ifanc â gwn mawr er mwyn cadw herwgipwyr draw. A ffwrdd â ni.

Cychwynnom gyda'r wawr. O'r brifddinas, Sana'a, arweiniai'r ffordd tua'r gorllewin. O'n blaen ymestynnai'r Ma'rib a'r Rub' al Khali – y tir anial. Dyma enw hudolus i'r sawl sydd yn gyfarwydd ag anturiaethau trafaelwyr mawr yr ugeinfed ganrif: Doughty, Thomas, Stark, Thesiger a Philby. Wyth can milltir o dwyni di-ben-draw yw'r ardal hon sy'n llyncu rhannau o diriogaeth Saudi Arabia, Oman ac Yemen. Wedi sefyll i weld gweddillion archeolegol y Ma'rib, dyma ni'n troi oddi ar y brif heol i mewn i'r twyni mawr.

Eisteddai'r gwas wrth fy mhenelin ag AK47 rhwng ei goesau. Bachgen un ar bymtheg oed oedd e, llipryn main, druan, a blaen asgwrn ei glun yn tyrchu i mewn i fy nghnawd wrth i'r cerbyd hercio yn ei flaen. Wn i ddim beth fyddai e wedi ei wneud petasai hanner dwsin o ddynion milain wedi mynnu ein herwgipio! Rhyddhad oedd cael ei wared, fe a'i AK47, wedi cyrraedd pen y cymal cyntaf o'r daith ymhen rhyw bedair neu bum awr. Mas â ni o'r car a finnau'n rhwbio fy nghoes oedd wedi troi'n rwber i gyd.

Dilyn y gulffordd nawr heibio i bwll olew mawr ar gyrion yr anialwch. Roedd gweld y diwydiant yn ddigon diddorol, ond rywsut roedd yr olygfa'n tanseilio'r balchder yr oedd rhai ohonom yn ei deimlo o gymharu ein hunain â'r arloeswyr gynt oedd wedi tramwyo'r un llwybrau â ni cyn i neb ymyrryd â'r dirwedd. Yn sang-di-fang, dilynai'r cerbyd ôl teiars ar y tywod mân erbyn hyn, gan raddol ymgolli yn nhragwyddoldeb y diffeithwch.

Roedd rhaid stopio'n aml oherwydd bod yr olwynion yn mynd yn sownd yn y tywod meddal, a thorchi llewys oedd hi wedyn wrth i bob un helpu i osod tamaid o garped o dan y teiars er mwyn iddynt ddod yn rhydd. Roedd golau'r dydd yn frau fel plisgyn wy, a doedd dim twffyn o gwmwl yn unman yn yr awyr. Fan hyn a fan draw, fe welem felon tua'r un faint ag oren yn gorwedd ar y gwely tywod. Meddyliais yn gyntaf mai wedi cwympo oddi ar gefn lori yr oeddent, ond deall wedyn bod coesen galed heb ddim dail yn eu clymu wrth y ddaear. Dyma dystiolaeth ei bod hi wedi bwrw glaw yn yr ardal yn lled ddiweddar.

'Peidiwch â byta rheina,' meddai'r gyrrwr wrth inni graffu ar y ffrwyth. 'Maen nhw'n chwerw sobor. Helan nhw syched arnoch chi.'

Peth annoeth fyddai porthi syched yn y diffeithwch, yn wir.

Erbyn diwedd y prynhawn roeddem wedi cyrraedd pen y daith, sef gwersyll Bedouin yng nghanol y twyni a'r tywod. Dwy babell go lydan ac iddynt do isel, tamaid o fwthyn dros dro a brwyn yn do iddo – dyna i gyd oedd i'w weld yn y gwersyll. Doedd hi ddim yn amlwg iawn beth oedd union ddiben y ddwy babell a'r bwthyn – fydden nhw ddim yn ddihangfa rhag gwres llethol y dydd na rhag crafangau'r oernos chwaith. Beth bynnag am hynny, cawsom wybod mai 'cegin' oedd y bwthyn to brwyn. Rhyfedd o beth oedd hynny hefyd, tybiwn i, oherwydd yn hytrach na chynnu tân yn niogelwch yr awyr agored, roedd perygl i'r fflamau gydio yn y deiliach aflêr a throi'r 'gegin' yn danfa.

Tu fewn i'r babell oedd wedi ei pharatoi ar ein cyfer ni roedd pedwar o fechgyn ifainc yn eistedd ar fatiau. O'u blaen safai pentwr o gistiau tun amryliw, a'r rheini'n cynnwys yr holl offer a theclynnau oedd eu hangen at fywyd bob dydd. Testun syndod i fi oedd gweld clamp o fachgen croenddu ymhlith y lleill, a hwnnw wedi arfer â bwyd moethus hefyd a barnu wrth ei bwysau. Roedd hwn yn wahanol iawn i'r Arabiaid main, esgyrnog. Mi fentrais holi am ei hanes. Ateb digon smala ges i. 'Daethon ni o hyd iddo fe yn y diffeithwch.' A finnau'n meddwl wrth fy hunan, 'Sut yn y byd allai neb gael digon o ymborth yn y diffeithwch i fagu pwysau?'

Mi gofiais wedyn am fasnach caethweision o Affrica, ac am y sïon bod y drefn o brynu a gwerthu gweision yn cael ei harfer o hyd. Eto i gyd, caethwas neu beidio, doedd hwn ddim yn cael ei ddirmygu na'i gam-drin. Roedd e'n cyd-fyw â'r teulu, ond ar delerau arbennig iawn, mae'n debyg. Hyd y gwelwn, y fe oedd yn dweud y drefn hyd yn oed, ac roedd e'n arwain y tynnu coes a'r chwerthin erbyn hyn, a gwneud sbort am bennau'r pedair merch estron oedd newydd gyrraedd o Dduw a ŵyr ble.

Hen wreigan eiddil ddaeth â te inni, ond roedd hi'n sionc fel y dryw. Eisteddodd yn ei chwrcwd a'i dwy fraich yn gorffwys ar ei phengliniau. Roedd penwisg borffor dros ei phen a'i hwyneb. Gwelwn ei llygaid bywiog yn pefrio tu ôl i'r siôl. Clebrai gyda'r gyrrwr wrth inni'n pedair ddadbacio a gosod sach gysgu ar lawr at y nos. Yn y cyfamser fe ddaeth merch fach tua dwyflwydd oed atom ac eistedd yn ein plith. Roedd hi'n anniddig tu hwnt. Er mwyn ei thawelu, fe gymerodd yr 'hen wraig' hi a rhoi ei bron iddi. Hen wraig yn wir! Mam yn magu plentyn oedd hi. Parablu ymlaen wnaeth y fam wrth i'r plentyn sugno arni. Hongiai'r bronnau melynaidd yn llipa dros ei gwisg. Allan â'r ferch fach eto yn y man, wedi torri ei syched.

Drannoeth mi godais yn fore. Roedd yr awyr yn dal yn oer, yn iachus, yn bur. Buan iawn y byddai'r tes yn codi dros y twyni. Eisteddais ar bwys y tân fu'n golchi ein hwynebau â'i fflamau y noson cynt. Roedd y marwydos yn dal yn gynnes. Synhwyrwn y llonyddwch mawr o'm cwmpas. Bron na chlywn y sêr yn diffodd bob yn un wrth i'r wawr ymestyn ei bysedd coch dros y gorwel. Mi deimlais foddhad. Gwacter byd. Curiadau tawel y galon o dan y nen.

Teimlwn y tywod oer oddi tanaf bellach, yn tarfu ar lif fy meddyliau. Roedd naws fach gyda hi. Estynnais fy llaw uwchben y lludw. Roedd y gwres ar fin darfod. Heb sŵn yn y byd, fe ddaeth un o'r Bedouin i eistedd ar fy mhwys. Gwisgai *thobe*, sef crys hirlaes. Roedd lliw lelog ar y crys na welais erioed mo'i debyg ond yn Yemen. O gylch ei wddwg fe wisgai'r *keffiyeh*, sgarff y mae pobol yn ei gwisgo ar y paith yn y gwledydd Arabaidd. Roedd wedi tynnu'r sgarff yn dynn am ei ên. Gwisgai damaid o hen got fach hefyd rhag yr awel fain blygeiniol. Heb ddweud gair o'i ben, fe osododd grempog ar y lludw i'w chynhesu, ac eistedd yn ei gwrcwd yn synfyfyrio ac yn edrych ar y bara. Yn y man, fe'm cyfarchodd, ac mi ddeallais mai Saesneg oedd y geiriau ac mai eisiau pigo sgwrs yr oedd.

'Lle dysgoch chi Saesneg?' meddwn i, gan fod siarad yr iaith fain yn beth anghyffredin ymhlith y Bedouin yn Yemen.

Troi'r grempog ar y lludw wnaeth fy nghydymaith.

'Doctor Ali mae'r bobol yn fy ngalw,' meddai. 'Bues i'n astudio ym Manceinion, eisiau mynd yn feddyg. Ond des i adre heb orffen yn y coleg. Roedd hiraeth arna i. Hiraeth am y diffeithwch, y llonyddwch.'

Estynnodd y dyn am y bara cras. Roedd y sêr yn welw erbyn hyn a gwrid y wawr yn tasgu dros y gorwel. Hiraethaf innau am lonyddwch y munudau hynny hefyd ambell waith. Ac am urddas y bobol, a'r fflamau sy'n golchi pryderon byd ymaith pan ddaw'r hwyr.

UZBEKISTAN
Cyrraedd Dinas Samarkand

AMYNEDD SYDD EISIAU er mwyn teithio yn y gwledydd traddodiadol. Amynedd, a digon ohono. Yn y gwledydd cyfoethog, mae ffiniau personol a phreifatrwydd yn rhan sylfaenol o'r diwylliant, ond nid felly ym mhob man. Byw ar ben ei gilydd mae'r bobol erioed ar draws y byd. Nid oes dihangfa o'r dorf. Yn y tai ac ar y strydoedd, nid oes llonydd i'w gael. Ond mae'r trafaeliwr yn cynefino â'r twrw a'r miri a'r wasgfa a'r llefain babanod a'r gweiddi mawr sy'n digwydd o bryd i'w gilydd, dim ond iddo fe bwyllo a pheidio â chynhyrfu.

Ar yr awyren o Moscow i Samarkand, taith pedair awr yng nghanol nos, mi ges gyfle i brofi fy amynedd. Trwy ddirgel ffyrdd, roeddwn i wedi cael tocyn rhad y dylid bod yn un o ddinasyddion y wlad i'w hawlio. Ond talu'r pwyth i fi yr oedd rhywun, rheolau neu beidio, a dyma fi bellach yng nghwmni brodorion Uzbekistan ar y ffordd i'w cynefin ar gyrion y byd.

Roedd hi'n debyg i ffair ar yr awyren, pawb yn cario tri neu bedwar pecyn mawr, dillad gan fwyaf, rhai ohonynt wedi'u clymu â thamaid o raff. Bagiau mawr plastig oedd gyda'r bobol fwy cefnog, a streipiau coch a glas yn groes drostynt, sef y math o gwdyn a welir eto ar draws cyfandir Asia. Fel mae'n digwydd, wrth y ffenest yr oeddwn i'n eistedd, a doedd dim gobaith i fi gael codi o'm sedd yn ystod y pedair awr nesaf. Roedd paciau o dan y seddi, pethach sang-di-fang yng nghôl y teithwyr ble bynnag yr oedd modfedd sbâr i'w chael, a finnau wedi fy nghorlannu fel dafad goll.

Roedd y stiwardesau Rwsiaidd yn ffroenuchel a dirmygus eu hagwedd tuag at y teithwyr. Iddynt hwy, pobol eilradd oedd yr Uzbekiaid a'r Tajikiaid ym mhen draw'r byd, ac roedd y merched yn gyndyn iawn i weini ar y bobol nac i wneud unrhyw ymdrech i hwyluso'r daith iddynt. Eu hanwybyddu'n llwyr oedd yr agwedd, nes iddi ddod yn amser inni gael tamaid i'w fwyta. Am ddau o'r gloch y bore felly, dyma lais miniog yn cyhoeddi'n fecanyddol bod bwyd ar fin cael ei ddarparu. Daeth y stiwardesau yn sodlau ac yn drwynau main i gyd a bwrw pryd parod mewn pecyn bach o flaen pob un mor anghwrtais â phosib. Doedd yr arlwy'n ddim byd i dynnu dŵr o'r dannedd, yn enwedig ym mherfeddion nos rhwng cwsg ac effro a'm coesau'n flin a'm corff yn dost. Wy wedi'i ferwi, darn o selsig garlleg, tafell fawr o fara rhyg sych a sgonsen fach felys oedd wedi magu blas garlleg. Llymaid o ddŵr ddaeth yn sgil y saig eilradd wedyn, a hwnnw'n cael ei arllwys ar frys nes i'w hanner dasgu dros yr hambwrdd a phengliniau'r pererinion druan.

Toc cyn iddi wawrio, fe laniodd yr awyren yn Samarkand. Yn groes i'r arferion rhyngwladol, y capten a'r criw gafodd ymadael â'r llong gyntaf. Dim ond ar ôl i'r stiwardes uchelfain olaf fingamu allan, dim ond bryd hynny y cafodd y werin godi a dwmp-dwmpian i lawr y grisiau yn drwsgwl ac yn lluddedig. Efallai fod rheswm da gan y criw dros fynd o'n blaen. Roeddent hwy wedi bod ar eu traed trwy'r nos, ac fe gymerodd gryn chwarter awr i'r teithwyr olaf hel eu pethau gwasgaredig ac ymlusgo tua'r fynedfa.

Dwy genedl sydd yn Uzbekistan, sef yr Uzbekiaid a'r Tajikiaid. Tua 25 y cant o boblogaeth y wlad sy'n Dajikiaid. Mae llawer iawn ohonynt yn byw yng nghyffiniau hen ddinasoedd diwylliedig Samarkand a Bukhara, gan gynnwys pentref Dachnab lle roeddwn i wedi trefnu aros. Mae'r Tajikiaid yn hanu o'r llwythau Persiaidd wnaeth oresgyn yr ardal yn ystod ymgyrchoedd Alexander Fawr dri chan mlynedd Cyn Crist.

Yn y seithfed ganrif ar ôl Crist wedyn, fe gyrhaeddodd iaith a diwylliant yr Arabiaid diroedd Uzbekistan, yn ogystal â'r grefydd Foslemaidd hithau, ac ar ddechrau'r drydedd ganrif ar ddeg fe ddechreuodd teyrnasiad y Mongoliaid yno.

Yn Samarkand, roedd hi'n anodd i fi wahaniaethu rhwng y ddwy genedl ar y cyfan oherwydd bod iaith a diwylliant y ddwy yr un mor ddierth â'i gilydd i fi. Ond roedd y gwrthgyferbyniad rhwng dylanwad Rwsia ar y naill law a'r diwylliannau brodorol ar y llall yn gwbl amlwg, yn enwedig yn yr etifeddiaeth bensaernïol. Perthyn i oes euraidd Islam yn y bedwaredd ganrif ar ddeg yr oedd llawer o'r adeiladau gwreiddiol yn y ddinas. Er gwaethaf y ffaith iddynt gael eu hesgeuluso ers tro, roedd eu prydferthwch a'u ceinder yn dal yn drawiadol. Haenen ddiweddar oedd y gwaith Sofietaidd, a'i arddull yn un llawer mwy daearol a diaddurn.

Wedi i fi gyrraedd pen y daith ym mhentref Dachnab, buan iawn y daeth 'y ferch ddierth' yn destun siarad i'r oedolion ac yn destun sylw i'r plant. Yn ystod y pythefnos nesaf, ni allwn symud o'r stafell heb i braidd ohonynt fy nilyn yn dynn ar fy sodlau. Roedden nhw'n blant bach annwyl, ond roedd elfen ddiwahardd ynddynt. Roedd yn arfer gan eu rhieni eillio eu pennau – ffordd dda o gadw'r llau a chwain draw gan fod anifeiliaid tu fewn i'r llidiart gerllaw – a gwnâi hynny i'w hwynebau gwastad, dwyreiniol edrych yn lletach byth. Syllai eu llygaid eirin yn ddireidus arnaf yn ddi-baid.

Hongiai llen rhwng y stafell a gweddill y tŷ, ac yn y bore fe dynnent honno yn ôl er gwaethaf pregeth eu rhieni, nes i'r clebar fy neffro. Ar y buarth wedyn, byddent yn ymgynnull o'm hamgylch wrth i fi ymolchi. Roedd hi'n dipyn o gamp gwneud hynny'n weddus o flaen y gynulleidfa, a gweddill y pentref yn wir, heb adael i'r tyweli lithro ar yr eiliad dyngedfennol. Yr un oedd y drefn bob bore, ond er mai felly yr oedd, deuai un o'r bechgyn hŷn heibio ar gefn beic bob bore, eistedd ar fy mhwys a chynnig sylwebaeth fanwl ar fy ymdrechion i weddill y gymdeithas. Er ei fod yn bymtheg oed, roedd yn dal yn fwy o fab nag o lanc i wneud hynny heb ddim cywilydd. Fel arall, y brws dannedd oedd yn ennyn eu diddordeb fwyaf, a'r past golchi dannedd hefyd.

Mynd i'r tŷ bach oedd y peth gwaethaf. Twll cwbl naturiol yn y ddaear oedd hwnnw, a thair wal a hanner o'i amgylch. Yn anffodus, safai rhai o'r plant yn yr adwy i'w gwneud hi'n lletchwith i fi. Amynedd oedd piau hi. Eisiau gweld y papur drud yr oedden nhw, fwy na thebyg. Pridd wedi'i sychu'n gnapau mawr oedd yr unig fodd a arferid yn y pentref i hybu glanweithdra yn hyn o beth. Felly y mae hi wedi bod erioed.

Sylwais ar ôl tri neu bedwar diwrnod mai anaml yr oedd y llidiart fetel uchel yn cael ei hagor. Byw tu fewn i fuarth caeedig yr oedd y bobol, heb gysylltiad â gweddill y byd ond yn achlysurol. Treuliai'r menywod eu hamser ar y clos tu allan i'r tŷ. Hidlo glo trwy ddarn o hen fatras yr oedden nhw'r wythnos gyntaf i fi fod yno. Un o orchwylion yr hydref oedd paratoi tanwydd at y gaeaf. Roedd eu dillad yn fôr o liwiau llachar: trowsus sidan gyda chydblethiad o edafedd melyn, coch a gwyrdd. Gwisgai pob un ffrog hyd at y pen-glin. Ar y ffrogiau roedd patrymau blodeuog, a rhubanau ynghlwm â nhw. Gwisgent sgarff dros eu corun a'u talcen, ond doedd dim yn swil nac yn wylaidd yn eu hymddygiad. Amser tawel fu'r diwrnodau cyntaf yn Dachnab, ac roedd hynny'n dda o beth ar ôl y daith flinderus.

Crysau Gwynion
ym Mhentref Dachnab

PENTREF BACH AMAETHYDDOL yw Dachnab, ddeng milltir i'r gogledd-ddwyrain o Samarkand. Roeddwn wedi trefnu treulio pythefnos ar ffarm yn yr ardal, a gwireddu breuddwyd a fu gen i ers pan oeddwn i'n blentyn, sef gweld mynyddoedd yr Himalaya. Faint fyddai hynny'n ei gostio i fi? Syml iawn oedd yr ateb: deuddeg o grysau gwynion. Sut hynny felly? Ateb syml arall: cerddorion oedd y dynion ar y ffarm ac roedd gofyn iddynt wisgo'n lân ac yn barchus wrth i'r seindorf berfformio. Ac roedd crysau gwynion yn brin ym mynydd-dir diarffordd Uzbekistan.

A finnau'n ymwelydd ac yn westai yn y pentref, doedd dim hawl gen i gymryd rhan yn y gwaith ar y ffarm. Doedd dim amdani felly ond bodloni ar wylio bywyd, hamddena a cherdded o gwmpas y tai mas a'r cwrt i gofnodi'r hyn a welwn ac a glywn. Menter gydweithredol oedd y ffarm lle roedd cymuned fach, glòs yn cyd-fyw. Roedd tair aelwyd yno a thair cenhedlaeth yn byw o dan bob to. Tua maint cae rygbi oedd y buarth a ffens uchel o'i amgylch. Tyfai coed afalau yn y pen isaf. Enghraifft o'r uned amaethyddol safonol o dan y drefn Sofietaidd oedd y *kolkhoz* ym mhentref Dachnab, ond gan mai un teulu estynedig yn unig oedd yn byw yno, ymdebygai i'r ffermydd traddodiadol yn y byd cyn-ddiwydiannol lle roedd rhaid cyd-lafurio er mwyn gwneud bywoliaeth o'r ddaear.

Byddai'r athro ysgol yn awyddus i sgwrsio gyda fi pan godai cyfle ganol y prynhawn. Rhoddais geir bach Dinky yn anrhegion i'r plant. Bûm yn gwmni i hen ŵr oedd yn coginio *plov* mewn padell fawr ar ben tân mewn hen faril. Reis a chig dafad – nid cig oen – oedd y bwyd arferol yn y wlad. Dangosodd gwraig y tŷ i fi sut i ddelio â phisio babi bach. Wrth osod y plentyn yn y crud, byddai ei goesau'n cael eu clymu, a thamaid o bren ar ffurf chwiban yn cael ei roi dros y gala. Âi'r dŵr trwy'r bibell fer wedyn a diferu i mewn i badell o dan y crud. Roedd yn amlwg nad crysau gwynion i'r cerddorion oedd yr unig ddillad yr oedd eu hangen yn y pentref.

Mi es am dro i Samarkand ac yfed paneidiau o de glas gyda'r hen gymeriadau yn y *chaikhana* – y stafelloedd te. Eisteddai cwsmeriaid y *chaikhana* ar glustogau ar y *topchan*, sef teras bach tua throedfedd uwchben y ddaear a chanllawiau pren o'i amgylch. Pan gyrhaeddais yn ôl ddiwedd y prynhawn roedd y plantos wedi tynnu'r olwynion i gyd oddi ar y ceir bach. Rhoddais fy mhen i lawr am awr fach cyn swper.

Yn ystod y deg diwrnod cyntaf yn Dachnab, doeddwn i ddim wedi cael cyfle i ymweld â'r wlad tu hwnt i ffiniau'r pentref nac yn wir i ffiniau'r ffarm lle roeddwn yn lletya. Roeddwn i'n dyheu am gael fy nhraed yn rhydd i grwydro ar fy mhen fy hun. Ond dim ond i fi fentro allan trwy'r glwyd a byddai'r dynion yn dynn ar fy sodlau. Gofynnwn am fenthyg beic ac am ryw reswm, yn sydyn iawn, doedd dim beic ar gael. Roedd y dwymyn grwydro yn peri gofid i'r pentrefwyr. Roedd y ffaith fy mod eisiau dianc, boed hynny dim ond am awr neu ddwy, yn awgrymu iddynt fy mod yn anfodlon yn eu plith. Efallai nad oedd eu serchogrwydd yn foddhaol i fi. Efallai nad oedd y tâl am y crysau gwynion – bod â bwyd am bythefnos – yn un teilwng. Anfonwyd rhagor o bobol i gadw cwmni i fi. Codais fy nhrem tua bannau uchel gorllewin Tien Shan yn hiraethus. Trodd hiraeth yn anobaith. Roedd buarth y ffarm yn cyfyngu arnaf ac yn cau amdanaf.

Yn fuan wedyn gwelais ambiwlans yn dod i mewn i fuarth

y ffarm trwy'r gatiau mawr. Synnu wnes i yn gyntaf, ond yna
teimlais ias ar fy nghroen. Oedd damwain wedi digwydd? Beth
oedd yn bod? Daeth y bobol mas ac ymgynnull o gwmpas
yr ambiwlans, a dechrau ei lwytho â bwyd ac offer coginio
a gwahanol drugareddau oedd yn debycach i'r hyn sydd ei
angen yn y maes nag yn yr ysbyty. Tuniau bwyd, melonau
dŵr, torthau mawr o fara, cig, llysiau mân a thegell du. Roedd
y plant wedi cynhyrfu a rhedent o'r naill ben o'r buarth i'r
llall yn afreolus. Roedd mab ieuengaf y tŷ wedi gwisgo ei
ddillad gorau, *jumpsuit* brethyn, a'i wyneb yn sgleinio ar ôl
cael sgwriad. Roedd yn amlwg bod antur fawr ar y gweill. O'r
diwedd daethon nhw i ben â llwytho'r ambiwlans, a chafodd
negesydd ei yrru draw ataf.

'Dewch! Awn ni â chi am dro i'r mynyddoedd!'

Cododd yr hen wraig ei breichiau tua'r nen a dechrau
gweddïo drosom oll.

Gobeithio na fu dim damwain nac argyfwng y bore hwnnw
yn Samarkand. Roedd ambiwlans y ddinas, neu un ohonynt o
leiaf, wedi'i gipio i fynd â dynes ddierth a gosgordd niferus
o bentref Dachnab i'r diffeithwch i weld y mynyddoedd.
Llywiodd y gyrrwr y cerbyd ar hyd afon Zarafshan tua'r
ucheldiroedd. Roedd sbringiau'r ambiwlans yn gwichian
fel porchell eisiau dianc, ond roedd yr hen gambo yn go
gadarn. Casglwyd tri dyn arall ar y ffordd. Awr o daith o'r
pentref, parciodd y gyrrwr ar lan yr afon a gollwng y cwmni.
Ymestynnai'r cwm oddi tanom yn llygad yr haul. Ailgychwyn
wnaeth yr ambiwlans heb oedi ac anelu at lawr gwlad unwaith
eto i gynorthwyo cleifion yr ardal. Wedi iddo fynd, disgynnodd
tawelwch mawr dros y fan a'r lle. Tangnefedd byd. Ond buan
iawn y dechreuodd y twrw. Radio mawr hen ffasiwn, sŵn
sosbenni yn taro yn erbyn ei gilydd, lleisiau croch y dynion
yn rhoi trefn ar y cwbl. Dyma botel fodca yn ymddangos i
borthi'r awyrgylch ac, er mawr syndod, ford bicnic a rhes o

gadeiriau newydd sbon gwyn a choch llachar yn cael eu gosod ar lecyn gwastad ar bwys y ffrwd!

Yn y pentref roedd dau neu dri o dai ar fuarth y ffarm, clawdd uchel o amgylch y cwbl a gât chwe throedfedd o uchder fyddai ar gau y rhan fwyaf o'r amser. Dyma fi wedi cyrraedd y tir agored nawr, ac nid oedd ond un dymuniad gen i sef dringo i ben y bryn agosaf. I ffwrdd â fi. Ond cnwc bach eithaf diystyr oedd hwn, ac erbyn cyrraedd y copa ni welwn mo fannau uchel yr Himalaya yn y pellter. Nid oedd dim amdani ond dychwelyd at y cwmni, lle roedd oglau cig wedi'i grasu i'w glywed erbyn hyn a phawb a'i gyllell a'i blât yn barod. Cyn gynted ag yr oeddwn wedi bwyta fy nghinio, dyma fi'n rhoi fy mryd ar y llechwedd yr ochor draw i'r afon. Roedd hwnnw dipyn yn uwch na'r bryncyn cyfagos. Efallai y cawn weld rhagor o ben yr ail fryn. A ffwrdd â fi unwaith eto. Ond roedd y dynion yn barod y tro hwn, a dyma ddau ohonynt yn llamu ar eu traed er mwyn fy hebrwng. Doedd dim gwerth dadlau gyda nhw. Byddai'n warth iddynt adael i fi fentro heb neb yn gefn i fi. A dyna ddechrau antur go ddifyr.

Trowsus neilon oedd y pâr yn eu gwisgo, a bobi grys gwyn newydd at yr achlysur arbennig hwn. Rhyw hen sgidiau bach llyfn, diafael oedd am eu traed. Jîns oedd gyda fi, a sgidiau rhedeg. Roedd y ddau gyfaill yn ymbalfalu dros y gro llithrig am i fyny fel dau ddyn wedi meddwi. Bob yn gam, a finnau'n eu llusgo ymlaen orau y gallwn i, deuem yn nes, nes at ben y mynydd. Am waith! Roedd y ddau'n chwifio eu breichiau fel dwy felin wynt i gadw eu cydbwysedd. Crechwenent arnaf fel petai popeth yn iawn, ond tuchan a chwythu oedd eu hanes yr holl ffordd lan. Wrth estyn fy llaw i'w helpu, rhaid oedd i fi smalio mai nhw oedd yn fy helpu i, rhag ofn i'r pantomeim droi'n destun cywilydd iddynt.

Dyma gyrraedd gwaun agored maes o law. Cododd haid o adar claerwyn yn rhuban yn yr awyr las. Gwelwn elltydd mawr, arswydus yn gwarchod y maes yn fud ac ôl yr hin a'r rhew ar eu talcennau moel, hynafol. Bob yn rhes falch, dyna'r bannau'n ymestyn tu hwnt i'r gorwel o flaen fy llygaid fel crafangau miniog, garw eisiau diberfeddu'r nefoedd. Draw yng nghanol yr eigion creigiog hwn yr oedd Tajikistan. Afghanistan. Tragwyddoldeb.

Roedd hi'n dechrau oeri ar y ffordd i lawr, a chysgodion yn araf ymestyn dros y cwm. Eisteddon ni o dan yr unig goeden ar y maes ac aros nes i'r ambiwlans ddod yn ôl. O'r diwedd roeddwn i wedi cael gweld y bannau uchel. Roedd yr hen dawelwch yn ymledu dros y paith. Wedi'r fodca a'r awyr iach, roedd rhai o'r bechgyn wedi blino. Roedd eraill yn hel yr offer er mwyn ail-lwytho'r cerbyd yn y man. Lluchio cerrig mân i'r nant yr oedd y mab ieuengaf a'i ddillad gorau angen eu smwddio erbyn hyn. Clywn y modur yn sgrialu yn y pellter nawr, chwa o lwch yn codi yn nes lawr, a'r cerbyd yn dod i'r golwg o'r diwedd dan sboncian yn ei flaen yn wag. Fe barciodd.

'Byddwn ni'n cychwyn mewn pum munud,' meddai un o'r dynion.

Roedd hen fugail wedi dod i gwrdd â ni ac i bigo sgwrs â'r cwmni. Roedd ci mawr wrth ei ochor, bleiddgi Alsás. Roedd coler llawn pigau haearn am wddwg y ci, a hynny'n gwneud iddo edrych yn filain iawn, ond gwyddwn mai cŵn ffel yw cŵn bugeilio Alsás o ran eu natur, er eu bod yn cael eu hyfforddi i fod yn ffyrnig. Estynnais fy llaw i fwytho pen y ci ond tynnais fy mysedd yn ôl mewn braw. Doedd dim clustiau gyda'r ci, dim ond dau dwll hyll, diolwg, du. Pam yn y byd? Roedd yr esboniad yn un hawdd. Cafodd y clustiau eu torri i ffwrdd er mwyn rhwystro'r bleiddiaid rhag gafael ynddynt petai ffrwgwd yn digwydd ar y mynydd.

Bore trannoeth, bues i'n siarad â gwraig y tŷ. Roedd rhaid inni siarad Rwseg â'n gilydd, ond bratiog iawn oedd gwybodaeth y ddwy ohonom o'r iaith honno ac felly sgwrs eithaf diaddurn oedd hi.

'Beth o'ch chi'n feddwl o'r mynyddoedd?' meddai hi.

Gan ddefnyddio fy mreichiau wedyn, ac actio orau medrwn i, gwnes fy ngorau i ddisgrifio'r ehangder mawr oedd wedi gwneud argraff arnaf, a cheisio ail-greu'r antur o ddringo hyd at ben y mynydd, ac esbonio'r rhyddid yr oeddwn i wedi'i deimlo yn yr anialwch anghyfannedd. Rhyw giledrych arnaf yn lled amheus wnaeth y wraig. Unwaith yn y pedwar amser y byddai hi'n meddwl ymadael â diogelwch ei chartref, ac roedd y ferch ddierth yn rhyfedd iawn iddi. Dim ond un cwestiwn arall oedd gyda hi.

'Ewch chi'n ôl yna fory 'te?'

Nid oedd wiw i fi ei hateb. Roeddwn i wedi gweld cewri'r cynfyd yr un peth ag yr oeddent y diwrnod y gwnaeth y ddaear esgor arnynt yn ei chynddaredd a'i llid, pan oedd hi'n dechrau ymffurfio. Fe'u gwelaf eto nawr yn cysgu yng nghrud y cof.

Priodas Draddodiadol
ymhlith y Tajikiaid

DEUDDEG O GRYSAU gwynion oedd y rhent a dalais am lety a chynhaliaeth yn Dachnab. Roedd seindorf yn y pentref ac roedd angen crysau newydd arnynt i chwarae'n lleol. Ac er mawr lwc i fi, bu priodas yn ystod y pythefnos y bûm yn aros gyda nhw. Oherwydd fy mod wedi codi statws y band drwy ddod â gwisg newydd iddynt, mi ges i wahoddiad i'r briodas, a'i dderbyn yn frwd. Dyma fyddai cyfle heb ei ail i wylio defodau'r gymdeithas draddodiadol hon ym mhellteroedd Asia.

Ddiwrnod y briodas, fodd bynnag, ymadawodd y bechgyn â'r pentref heb ddweud gair wrthyf. Mi welais y llidiart yn agor a chau ar eu hôl. A chan feddwl bod camddealltwriaeth wedi bod, mi benderfynais yn siomedig ddigon mai golchi dillad oedd y peth callaf i'w wneud gan fod amser gyda fi. Pan oeddwn wrthi'n hongian y llwyth rhyw awr fach yn ddiweddarach, dyma glywed y llidiart yn agor unwaith eto, ac yn wir roedd dirprwyaeth eisiau fy ngweld. Dyma gadarnhau bod croeso i fi ymuno â'r parti ar yr amod fy mod yn dod gyda nhw y funud honno. Mi wisgais yr unig garpiau glân a sych oedd yng ngwaelod fy nghês, sef crys-t gwyn a ffrog laes ddu. Roedd hynny'n debycach i wisg ar gyfer angladd na phriodas, ond doedd dim o'r help – roedd gweddill y dillad yn diferu. Gan obeithio nad oedd dim ofergoeledd ymhlith y bobol am wisgo lliwiau angheuol mewn neithior, a chan wybod y byddwn fel brân yng nghanol y jibincod, mi ddringais i gefn y cerbyd a ffwrdd â ni.

Dim ond gwaith deng munud o Dachnab ar yr heol gefn dyllog oedd y briodas. Wedi cyrraedd, gwelais ddwy babell, un ar gyfer y dynion a'r llall ar gyfer y menywod. I babell y dynion yr aethpwyd â fi, ynghyd â'r ddirprwyaeth oedd wedi dod i'm cyrchu. Roedd gweddill y cerddorion yn y fan a'r lle eisoes, pob un yn gwisgo crys claerwyn newydd sbon. Gwisgai nifer o'r gwesteion got hir gotwm wedi'i chlymu â rhaff o amgylch y canol. Roedd eraill yn gwisgo trowsus neilon, crysau gwaith trwchus a chot fach heb lewys. Roedd cap bach nodweddiadol y Moslemiaid ar ben pob un, sef y *tubeteika*, a hwnnw wedi'i wneud o frethyn *paisley*.

Eisteddais ymhlith y cerddorion wrth i'r bwyd gael ei weini. Roedd pob dyn yn y babell yn syllu arnaf yn syn erbyn hyn. Ymledodd y distawrwydd o ford i ford fel ton ar lanw. Prysur ganolbwyntio ar y *shaslik* a'r *plov* ar fy mhlât wnes i, a gwenu'n ddigon bodlon fy myd heb godi fy mhen yn rhy uchel. Roedd hynny o werthfawrogiad yn ddigon i annog i'r dynion ddangos eu serchogrwydd. Bob yn un dyma'r rhai mwyaf beiddgar yn dod draw ataf i gynnig platiaid o ddanteithion. Anodd iawn oedd dal pen rheswm â nhw nac esbonio mai dim ond hyn a hyn o fwyd – blasus neu beidio – y gall merch ddygymod ag ef. Diwedd y gân oedd i fi ofyn i'r cerddorion a fyddai modd i fi fynd draw i'r babell arall.

Go wahanol oedd hi ymysg y gwragedd. Doedd dim cynnwrf ym mhabell y dynion, ond yn y fan hon miri a sŵn oedd y cyfan. Ac yn lle lliwiau prudd a dilewyrch y babell gyntaf, roedd lliwiau'r enfys i gyd yng ngwead yr ail. Roedd carthen amryliw ar y llawr, a thameidiau sgwâr o liain wedi'u taenu drosti i osod y llestri a'r bwyd arnynt. Roedd torth gron newydd ei phobi – *lepyoshka* – o flaen pob un. Roedd yr hwyl ar ei hanterth erbyn hyn. Canai'r cwmni benillion twymgalon gan chwerthin led eu genau a dangos eu dannedd aur, a gwledda heb bryder yn y byd. Mi ges groeso brenhinaidd. Yn un peth,

am i fi fod ym mhabell y dynion gynnau, roedd y gwragedd
yn awyddus i glywed sut hwyl oedd yr ochor draw, a finnau'n
canmol yr arlwy a'r awyrgylch yn eu pabell nhw ar draul eu
gwŷr.

Yn y man, dyma ddwy wraig ifanc dalsyth yn sefyll yn nhwll
y drws. Roedd eu gwisgoedd gwych a'u hosgo diymhongar
yn ychwanegu at eu hurddas. Gwisgent gapiau sgwâr ar eu
pennau a dysenni o fân fodrwyon aur yn sgleinio arnynt.
Roedd eu pennau wedi braidd blygu fel petasen nhw'n edrych
ar flaenau'u traed. Rhaid bod dwy briodas yn cael eu cynnal,
meddwn i wrth fy hunan. Ond nid dwy ddyweddi oedd y rhain.
Llawforynion y briodferch oedden nhw, wedi dod i geisio'r
ferch. Ers tridiau bellach, roedd honno wedi bod tu ôl i'r llenni
mewn congl o'r babell yn disgwyl cael ei hebrwng at ei gŵr.

Roedd anrhegion di-ri ym mhob cwr o'r neuadd. Byddai
rhai'n gymorth i'r pâr ifanc ddechrau byw: matiau da i eistedd
arnynt y dydd a gorwedd y nos; padelli a dysglau helaeth
ar gyfer y gegin; cwrlidau wedyn a brethyn at wahanol
achlysuron. Hongiai ffrogiau neilon ar fachau ar y welydd fel
gwaith celf mewn arddangosfa. Mi ychwanegais innau ychydig
o drugareddau yr oeddwn wedi dod â nhw yn fy mhac o Gymru
– breichled ac arni batrymau Celtaidd, a samplau o eli croen yr
oeddwn wedi'u codi yn y fferyllfa i'r wraig ifanc.

Eisteddai'r gwragedd oedrannus i'r neilltu gyda'i gilydd ac
mi es atynt i'w cyfarch ac i eistedd yn eu plith am sbel fach.
Aeth hi'n chwerthin mawr arnynt wrth weld y frân yn disgyn ar
eu cyfyl. Chwarae teg, doedd dim penwisg amdanaf, roedd fy
ngwallt yn bigog o fyr ac roedd golwg rhyw greadur tlodaidd
arnaf o dan yr amgylchiadau. Ond aeth rhywbeth arall â'u sylw
maes o law, ac mi ges lonydd i ymdoddi i'r cwmni. Eistedd ar
y llawr yr oedd y gwragedd a'u coesau wedi plygu. Roedd yn
syndod i fi mor rhwydd yr oedden nhw'n gallu codi ar eu traed
ac aileistedd wedyn, er bod rhai ohonynt dros eu deg a thrigain

oed fwy na thebyg. Dyma ragor o fwyd yn cael ei osod o'm blaen. Doedd dim amdani ond gwenu'n ddiolchgar a chymryd tamaid bach yn lle pechu neb.

Wrth iddi nosi, fe gamodd y briodferch o'i gwâl. Geneth un ar bymtheg oed oedd hi ac roedd yn amlwg bod yr achlysur a'r cynnwrf a'r disgwyliadau a'r cyfrifoldeb a'i hamheuon i gyd yn corddi tu fewn iddi ac yn peri penbleth a dryswch iddi. Tynnai sgarff fach wen yn ôl ac ymlaen dros ei thalcen yn arwydd ffurfiol o'i swildod. Yn ôl y ddefod, dim ond ar y llawr o'i blaen y câi edrych. Tybiwn, serch hynny, iddi gael cip trwy'r llenni yn gynharach ar y ferch ddierth oedd wedi glanio yn y neithior yn ddirybudd. Sgleiniai cap ar ben y ferch fel y rhai a wisgai'r ddwy lawforwyn. Fe gerddodd yn araf bach o'r stafell gefn gyda'r llawforynion bob ochor iddi yn gafael yn ei braich. A dyma'r gwragedd yn cydweiddi nerth eu pennau ar unwaith gan fwrw tabyrddau bach croen am y gorau a hw-hw-hwian yn floesg. Fe groesodd y ferch y trothwy. Roedd hi'n cael ei hebrwng o'r diwedd at ei gŵr yn y stafell wely.

Drannoeth y briodas, golchwyd deuddeg o grysau gwynion yn Dachnab a'u hongian yn rhes burwen i sychu yn llygad y gwynt a'r haul.

ÔL-YSGRIF

Drws ac Allwedd
gan Diarmuid Johnson

DECHRAU IONAWR. ROEDD hi'n bwrw glaw mân. Dyna eglwys Llanbadarn yn sefyll fel y graig ym mwrllwch y nos, a'r trên bach swrth yn dod i ben y daith yng ngorsaf Aberystwyth. Pan gamais mas ar y platfform roedd wyneb cyfarwydd yn disgwyl amdanaf.

'Dr Johnson, I presume?' meddai Ned.

'Herr Professor!' meddwn i, yn tynnu'r goes arall.

Roedd hi'n dda o beth bod cyfaill wedi dod i'm hebrwng achos, erbyn meddwl, wedi'r holl bererindota yn nwyrain Ewrop, dyn di-allwedd oeddwn i pan gyrhaeddais i'n ôl. Onid tair allwedd sy'n arfer bod gan bobol y dyddiau hyn: un i'r tŷ, un i'r car ac un i'r gwaith? Doedd dim un o'r rheini'n pwyso ar waelod fy mhoced nawr.

'Ble mae Amanda gyda chi?' meddai'r brawd.

'Mae'n bennu jobyn o waith gyda'i brawd yng Nghaliffornia. Bydd hi'n ôl tua diwedd y mis.'

Aethpwyd â fi i Blas Hendre ar ben rhiw Penglais. Cydio mewn cadwyn a rhoi plwc go siarp iddi sydd eisiau er mwyn canu'r gloch yn y tŷ hwnnw. A chael fy nhywys i'r hyfryd neuadd.

'Coffi?' meddai Bethan a thynnu'r sigarét o'i cheg. Rhoi'r tegell i ferwi wedyn, a mynd i ddangos y stafell wely toc.

'Voilà, monsieur!' meddai hi, yn wên hawddgar i gyd.

A buan iawn y dechreuodd olwynion y byd droi unwaith eto. Buan iawn y ces i allwedd i'w throi yn y clo.

Ymhen tair wythnos, fe gyrhaeddodd fan fawr wen o Wlad Pwyl a'i llond o focsys a chelfi a chant a mil o bethau oedd wedi dod yn eiddo inni ers tair neu bedair blynedd. Cafodd y cwbl fynd i'r storws yn Llanfarian am y tro. Heblaw am un bocsaid. Pethau 'arbennig' oedd cynnwys hwnnw. Wedi ei agor, dyma fi'n gweld cwdyn bach. Ac yn wir, roedd y cwdyn yn llawn allweddi. Edrychais ar y pentwr yn syn. Allwn i ddim amgyffred ble roeddwn i wedi bod yn hel yr holl gasgliad. Roedd yno allwedd i bob drws yr oeddwn wedi cysgu tu ôl iddo erioed, does bosib.

'Perchen allwedd?' yw teitl y cofnod yn fy nyddiadur ar 29 Ionawr 2012:

Dyna freuddwyd miloedd ar filoedd o bobol y mae anffawd wedi dod i'w rhan yn y byd tywyll sydd ohoni. Ffoaduriaid, cysgodion pen ffordd, alltudion: cau'r drws a mentro'n waglaw i'r dyfodol yw hanes nifer anferth o'n cymdogion...

Erbyn hyn, mae Mandy a finnau'n ôl yn y Borth. O'r ffenest uchaf mi welaf gopa Log na Coille – 'Pant y Coed' – sef y mynydd uchaf yn Wicklow, Iwerddon. Mae'n gwisgo coron niwlog heno. Wele Enlli a Llŷn. Dyna Aberdyfi ger crib y don, a Thre Taliesin yng nghil y coed, lle mae fy ngwreiddiau. Llonydd iawn yw hi rhwng y morfa a'r gors yng ngogledd Ceredigion. A dyma'r trên yn dwmp-dwmpian heibio eto ar ei ffordd o Birmingham i Aberystwyth, o bedwar ban byd i ben y lein. Pwy sy'n trafaelu'n ddisgwylgar ar y trên bach heno ysgwn i? Pa freuddwydion brau, di-allwedd sy'n cyrraedd y platfform tyngedfennol heno eto fyth?